CARTEA ESENȚIALĂ DE CATEGORIE CANDIQUIK

Explorați posibilitățile de acoperire cu bomboane cu 100 de dulciuri irezistibile

Alexandra Vîlculescu

Material cu drepturi de autor ©2024

Toate drepturile rezervate

Nicio parte a acestei cărți nu poate fi utilizată sau transmisă sub nicio formă sau prin orice mijloc fără acordul scris corespunzător al editorului și al proprietarului drepturilor de autor, cu excepția citatelor scurte utilizate într-o recenzie. Această carte nu trebuie considerată un substitut pentru sfaturi medicale, juridice sau alte sfaturi profesionale.

CUPRINS

INTRODUCERE

Bine ați venit la „Cartea de bucate CandiQuik esențială", ghidul dumneavoastră pentru a explora posibilitățile nesfârșite de acoperire cu bomboane cu 100 de confecții irezistibile. Indiferent dacă ești un cofetar experimentat sau un brutar începător, această carte de bucate este pașaportul tău către o lume a deliciilor dulci și a creativității culinare. De la delicatese clasice la creații inovatoare, CandiQuik deschide ușa către un tărâm de posibilități delicioase.

În această carte de bucate, veți descoperi o gamă variată de rețete care prezintă versatilitatea și magia CandiQuik. Dezvoltate de experți culinari, aceste rețete sunt concepute pentru a inspira și încânta, indiferent dacă îți poftești ceva bogat și indulgent sau ușor și răcoritor. De la trufe de ciocolată decadente până la prăjituri capricioase, există o cofetărie pentru fiecare gust și ocazie.

Ceea ce diferențiază CandiQuik este ușurința în utilizare și versatilitatea. Fabricat din ingrediente de înaltă calitate și disponibil într-o varietate de arome, CandiQuik oferă pânza perfectă pentru creațiile tale culinare. Indiferent dacă scufundați, burniți sau modelați, CandiQuik se topește fără probleme și se întărește rapid, asigurând rezultate de calitate profesională de fiecare dată. Cu CandiQuik, vei avea încrederea necesară pentru a-ți dezlănțui cofetarul interior și a-ți aduce cele mai dulci vise la viață.

De-a lungul acestei cărți de bucate, veți găsi instrucțiuni clare și concise, sfaturi utile și fotografii uimitoare pentru a vă ghida în aventura dvs. de cofetărie. Indiferent dacă pregătești gustări pentru o ocazie specială, le faci cadou celor dragi sau pur și simplu îți răsfăți gustul de dulce, aceste rețete vă vor impresiona cu siguranță. Așadar, apucă-ți șorțul, ascuți-ți spatula și hai să ne scufundăm în lumea delicioasă a dulciurilor CandiQuik.

BROWNIURI ȘI BARURI

1.CandiQuik Turtle Brownies

INGREDIENTE:

- 1 pachet de acoperire cu ciocolată CandiQuik
- 1 cană nuci pecan tocate
- 1 cană sos caramel
- 1 cutie de amestec de brownie (și ingredientele necesare)

INSTRUCȚIUNI:

a) Pregătiți amestecul de brownie conform instrucțiunilor de pe ambalaj.
b) Se amestecă nucile pecan tocate în aluatul pentru brownie.
c) Turnați jumătate din aluatul de brownie într-o tavă unsă cu unt.
d) Stropiți jumătate din sosul de caramel peste aluat.
e) Adăugați deasupra aluatul de brownie rămas, urmat de restul de sos de caramel.
f) Coaceți conform instrucțiunilor din amestecul pentru brownie.
g) Odată copt, topește învelișul de ciocolată CandiQuik și întinde-l peste brownies-urile răcite.
h) Lăsați ciocolata să se întărească înainte de a o tăia în batoane.

2.Batoane Granola cu migdale și ciocolată

INGREDIENTE:

- 2 căni de fulgi de ovăz de modă veche
- 1 cană nucă de cocos mărunțită (îndulcit sau neîndulcit)
- 1 cana migdale tocate
- ½ cană miere sau sirop de arțar
- ½ cană unt cremos de migdale
- ¼ cană ulei de cocos
- 1 lingurita extract de vanilie
- ½ lingurita sare
- 1 cană CandiQuik (acoperire de bomboane cu aromă de vanilie)

INSTRUCȚIUNI:

a) Preîncălziți cuptorul la 350°F (175°C). Tapetați o tavă de copt de 9 x 13 inci cu hârtie de copt, lăsând puțină înălțime pentru o îndepărtare ușoară.
b) Într-un castron mare, combinați ovăzul rulat, nuca de cocos mărunțită și migdalele tocate.
c) Într-o cratiță mică, la foc mic, combinați mierea sau siropul de arțar, untul de migdale, uleiul de cocos, extractul de vanilie și sarea. Amestecați continuu până când amestecul este bine combinat și omogen.
d) Turnați amestecul umed peste ingredientele uscate din bolul de amestecare. Se amestecă până când toate ingredientele uscate sunt acoperite uniform.
e) Transferați amestecul în tava pregătită și apăsați-l ferm pentru a crea un strat uniform.
f) Coacem in cuptorul preincalzit 15-20 de minute sau pana cand marginile devin maro auriu.
g) Lăsați batoanele de granola să se răcească complet în tigaie.
h) Odată răcit, topește CandiQuik conform instrucțiunilor de pe ambalaj.
i) Stropiți CandiQuik topit peste batoanele de granola răcite.
j) Lăsați CandiQuik să se stabilească înainte de a tăia barele în pătrate.
k) Dacă doriți, păstrați batoanele la frigider pentru o textură mai fermă.
l) Serviți și bucurați-vă de batoanele Granola cu migdale și ciocolată!

3.Batoane cu unt de arahide și jeleu CandiQuik

INGREDIENTE:

- 1 cană unt nesărat, înmuiat
- 1 cană zahăr granulat
- 1 cană de zahăr brun, ambalat
- 2 ouă mari
- 1 cană de unt de arahide cremos
- 1 lingurita extract de vanilie
- 3 căni de făină universală
- 1 lingurita praf de copt
- ½ lingurita sare
- 1 cană conserve de fructe sau jeleu la alegere (de exemplu, căpșuni, zmeură, struguri)
- 1 pachet CandiQuik (acoperire de bomboane cu aroma de vanilie)

INSTRUCȚIUNI:

a) Preîncălziți cuptorul la 350°F (175°C). Ungeți o tavă de copt de 9 x 13 inci și tapetați-o cu hârtie de copt, lăsând o proeminență pentru îndepărtarea ușoară.
b) Într-un castron mare, cremă împreună untul înmuiat, zahărul granulat și zahărul brun până devine ușor și pufos.
c) Adaugam ouale pe rand, batand bine dupa fiecare adaugare.
d) Se amestecă untul de arahide și extractul de vanilie până se combină bine.
e) Într-un castron separat, amestecați făina, praful de copt și sarea.
f) Adăugați treptat ingredientele uscate în amestecul de unt de arahide, amestecând până când se combină.
g) Apăsați două treimi din aluatul de unt de arahide în fundul tavii pregătite pentru a forma un strat uniform.
h) Întindeți conservele de fructe sau jeleul uniform peste stratul de unt de arahide.
i) Se sfărâmă restul de aluat de unt de arahide deasupra conservelor de fructe.
j) Coacem in cuptorul preincalzit 30-35 de minute sau pana cand marginile devin maro auriu.
k) Lăsați batoanele să se răcească complet în tigaie.

l) Odată ce batoanele s-au răcit, topește CandiQuik conform instrucțiunilor de pe ambalaj.
m) Stropiți CandiQuik topit peste batoanele răcite.
n) Lăsați CandiQuik să se stabilească înainte de a tăia barele în pătrate.
o) Serviți și bucurați-vă de delicioasele batoane cu unt de arahide și jeleu!

4.CandiQuik Cranberry Bliss

INGREDIENTE:

PENTRU BARURI:

- 1 cană unt nesărat, înmuiat
- 1 cană zahăr granulat
- 2 ouă mari
- 1 lingurita extract de vanilie
- 2 căni de făină universală
- ½ linguriță de praf de copt
- ¼ lingurita sare
- 1 cană de afine uscate
- Coaja unei portocale

PENTRU TOPING:

- 1 pachet (16 uncii) CandiQuik Candy Coating
- Coaja unei portocale
- Merișoare uscate pentru garnitură (opțional)

INSTRUCȚIUNI:

a) Preîncălziți cuptorul la 350°F (175°C). Ungeți o tavă de copt de 9 x 13 inci.
b) Într-un castron mare, cremă împreună untul înmuiat și zahărul până devine ușor și pufos. Adaugam ouale pe rand, batand bine dupa fiecare adaugare. Se amestecă extractul de vanilie.
c) Într-un castron separat, amestecați făina, praful de copt și sarea.
d) Adăugați treptat ingredientele uscate la ingredientele umede, amestecând până se combină.
e) Încorporați merișoarele uscate și coaja de portocală până când se distribuie uniform în aluat.
f) Întindeți aluatul uniform în vasul de copt pregătit.
g) Coacem in cuptorul preincalzit 25-30 de minute sau pana cand marginile devin maro auriu si o scobitoare introdusa in centru iese curata.
h) Lăsați batoanele să se răcească complet în tava de copt.
i) Odată ce batoanele s-au răcit, topește învelișul CandiQuik Candy conform instrucțiunilor de pe ambalaj.
j) Se toarnă CandiQuik topit peste batoanele răcite, întinzându-l uniform cu o spatulă.

k) Presărați deasupra coajă suplimentară de portocală și merișoare uscate pentru ornat, dacă doriți.
l) Lăsați acoperirea CandiQuik să se întărească complet înainte de a tăia barele în pătrate.
m) Servește și bucură-te de delicioasele tale batoane CandiQuik Cranberry Orange Bliss!

5.Brownies cu sfeclă CandiQuik

INGREDIENTE:

- 1 cană de sfeclă fiartă și piure (aproximativ 3 sfeclă de mărime medie)
- ½ cană unt nesărat, topit
- 1 cană zahăr granulat
- 2 ouă mari
- 1 lingurita extract de vanilie
- ½ cană făină universală
- ⅓ cană pudră de cacao
- ¼ linguriță de praf de copt
- ¼ lingurita sare
- 1 pachet CandiQuik (acoperire de bomboane cu aroma de vanilie)

INSTRUCȚIUNI:

a) Preîncălziți cuptorul la 350°F (175°C). Se unge și se tapetează o tavă de copt cu hârtie de copt.
b) Gatiti sfecla pana cand sunt moi. Curățați-le și pasați-le în piure într-un blender sau robot de bucătărie. Măsurați 1 cană de piure de sfeclă.
c) Într-un castron mare, combinați untul topit și zahărul. Se amestecă până se combină bine.
d) Adaugam ouale pe rand, batand bine dupa fiecare adaugare. Se amestecă extractul de vanilie.
e) Într-un castron separat, amestecați făina, pudra de cacao, praful de copt și sarea.
f) Adăugați treptat ingredientele uscate la ingredientele umede, amestecând până se combină.
g) Încorporați piureul de sfeclă până când se distribuie uniform în aluatul de brownie.
h) Turnați aluatul în tava pregătită, răspândindu-l uniform.
i) Coacem in cuptorul preincalzit 25-30 de minute sau pana cand o scobitoare introdusa in centru iese cu firimituri umede (nu aluat umed).
j) Lăsați brownies-urile să se răcească complet în tigaie.

PENTRU ACOPERIREA CANDIQUIK:

k) Topiți CandiQuik conform instrucțiunilor de pe ambalaj. De obicei, aceasta implică punerea la microunde la intervale de 30 de secunde până când se topește complet.
l) Odată ce brownies-urile s-au răcit complet, tăiați-le în pătrate.
m) Înmuiați partea de sus a fiecărui pătrat de brownie în CandiQuik topit, asigurând o acoperire uniformă.
n) Puneți brownies-urile acoperite pe o tavă tapetată cu pergament pentru a permite CandiQuik să se întărească.
o) Lăsați stratul CandiQuik să se întărească complet înainte de servire.

6.CandiQuik Cutter Fudge

INGREDIENTE:

- 1 pachet CandiQuik (acoperire de bomboane cu aroma de vanilie)
- 1 cutie (14 uncii) lapte condensat îndulcit
- 2 lingurite extract de vanilie
- Vârf de cuțit de sare
- Asortate forme de prăjituri cu tematică de sărbători
- Toppinguri optionale: stropi, nuci zdrobite, zaharuri colorate

INSTRUCȚIUNI:

a) Tapetați o tavă de copt pătrată sau dreptunghiulară cu hârtie de copt, lăsând o proeminență pe părțile laterale pentru o îndepărtare ușoară.
b) Într-o cratiță de mărime medie, topește CandiQuik la foc mic, amestecând continuu pentru a evita arderea.
c) Odată ce CandiQuik este complet topit, adăugați laptele condensat îndulcit, extractul de vanilie și un praf de sare. Amestecați amestecul până când se omogenizează și se combină bine.
d) Scoateți cratita de pe foc și lăsați amestecul să se răcească puțin, dar asigurați-vă că rămâne turnabil.
e) Turnați amestecul de fudge în tava de copt pregătită și întindeți-l uniform.
f) Lăsați fudge-ul să se răcească câteva minute, apoi folosiți forme de prăjituri cu tematică de sărbători pentru a decupa formele festive. Apăsați tăietorul de prăjituri în fudge și ridicați formele cu o spatulă.
g) Dacă doriți, adăugați topping-uri, cum ar fi stropi, nuci zdrobite sau zaharuri colorate pe formele de fudge cât timp sunt încă moi.
h) Lăsați fudge-ul să se răcească complet și lăsați-l la frigider pentru câteva ore.
i) Odată ce fudge-ul s-a întărit complet, folosiți o suprafață de hârtie de pergament pentru a-l scoate din vasul de copt.
j) Puneți formele de fudge pe un platou de servire și bucurați-vă de adorabilul vostru CandiQuik Cookie Cutter Fudge!

7.CandiQuik Rocky Road Bars

INGREDIENTE:

- 1 pachet de acoperire cu vanilie CandiQuik
- 2 cani de mini marshmallows
- 1 cana nuci tocate (nuci sau migdale)
- 1 cană de biscuiți graham zdrobiți
- 1 cutie de mix de brownie (și ingredientele necesare conform pachetului)

INSTRUCȚIUNI:

a) Pregătiți amestecul de brownie conform instrucțiunilor de pe ambalaj.
b) Adăugați mini marshmallows, nucile tocate și biscuiții graham zdrobiți în aluatul de brownie.
c) Turnați aluatul într-o tavă unsă cu unt.
d) Coaceți conform instrucțiunilor din amestecul pentru brownie.
e) Odată copt, topiți învelișul de vanilie CandiQuik și întindeți-l peste batoanele răcite.
f) Lăsați stratul de vanilie să se întărească înainte de a o tăia în batoane.

8.Brownies cu ciocolată cu mentă CandiQuik

INGREDIENTE:

- 1 pachet de acoperire cu ciocolată CandiQuik
- 1 lingurita extract de menta
- Colorant alimentar verde (optional)
- 1 cutie de mix de brownie (și ingredientele necesare conform pachetului)

INSTRUCȚIUNI:

a) Pregătiți amestecul de brownie conform instrucțiunilor de pe ambalaj.
b) Amestecați extractul de mentă și adăugați colorant alimentar verde, dacă doriți.
c) Turnați aluatul într-o tavă unsă cu unt.
d) Coaceți conform instrucțiunilor din amestecul pentru brownie.
e) Odată copt, topește învelișul de ciocolată CandiQuik și întinde-l peste brownies-urile răcite.
f) Lăsați ciocolata să se întărească înainte de a o tăia în batoane.

COOKIES Ș I MACARONES

9.Biscuiți CandiQuik Oameni de Zăpadă

INGREDIENTE:

- Fursecuri rotunde de zahăr
- 1 pachet (16 uncii) CandiQuik Candy Coating
- Chipsuri de ciocolată în miniatură sau ochi de bomboane
- Bomboanele de portocale se topesc (sau glazura de portocale) pentru nasurile de morcovi
- Glazura decorativa pentru esarfe si nasturi

INSTRUCȚIUNI:

a) Înmuiați partea de sus a fiecărei prăjituri cu zahăr în CandiQuik topit pentru a crea o acoperire cu zăpadă.
b) Așezați două bucăți de ciocolată în miniatură sau ochi de bomboane pe stratul topit pentru ochi.
c) Utilizați o bucată mică de bomboane de portocale topite sau glazură pentru a crea un nas de morcov.
d) Decorați cu glazură pentru a face eșarfe și nasturi.
e) Lăsați acoperirea să se stabilească înainte de servire.

10.Biscuiți cu cafea CandiQuik

INGREDIENTE:

PENTRU COOKIES:

- 1 cană unt nesărat, înmuiat
- ½ cană zahăr granulat
- 2 căni de făină universală
- 2 linguri granule de cafea instant sau pudra espresso
- ¼ lingurita sare

PENTRU GLAZA DE CAFEA CANDIQUIK:

- 1 pachet CandiQuik (acoperire de bomboane cu aroma de vanilie)
- 2 linguri granule de cafea instant sau pudra espresso
- 1-2 linguri apa fierbinte
- Opțional: cafea măcinată fin sau pudră de cacao pentru decor

INSTRUCȚIUNI:

PENTRU COOKIE-URI DE CAFEA:

a) Preîncălziți cuptorul la 350°F (175°C). Tapetați foile de copt cu hârtie de copt.
b) Într-un castron mare, cremă untul înmuiat și zahărul granulat până devine ușor și pufos.
c) Într-un castron separat, amestecați făina, granulele de cafea instant sau pudra de espresso și sarea.
d) Adăugați treptat ingredientele uscate în amestecul de unt și zahăr, amestecând până când aluatul se îmbină.
e) Rulați aluatul într-o formă de buștean sau aplatizați-l într-un disc, înfășurați-l în folie de plastic și lăsați-l la frigider pentru cel puțin 30 de minute pentru a-l lăsa să se întărească.
f) Odată răcit, feliați aluatul în rondele sau tăiați forme cu ajutorul formelor pentru biscuiți.
g) Așezați fursecurile pe foile de copt pregătite și coaceți timp de 10-12 minute sau până când marginile sunt ușor aurii.
h) Lăsați fursecurile să se răcească complet pe un grătar.

PENTRU GLAZA DE CAFEA CANDIQUIK:

i) Topiți CandiQuik conform instrucțiunilor de pe ambalaj. De obicei, aceasta implică punerea la microunde la intervale de 30 de secunde până când se topește complet.

j) Dizolvați granulele de cafea instant sau pudra de espresso în apă fierbinte. Adăugați acest amestec de cafea la CandiQuik topit și amestecați până se combină bine.
k) Înmuiați fursecurile răcite în glazura de cafea CandiQuik, lăsând orice exces să se scurgă.
l) Pune fursecurile glazurate pe o tava tapetata cu pergament.
m) Opțional: în timp ce glazura este încă umedă, presară deasupra cafea măcinată fin sau pudră de cacao pentru decor.
n) Lăsați glazura să se întărească complet înainte de servire sau depozitare.

11.Prajituri de fotbal CandiQuik

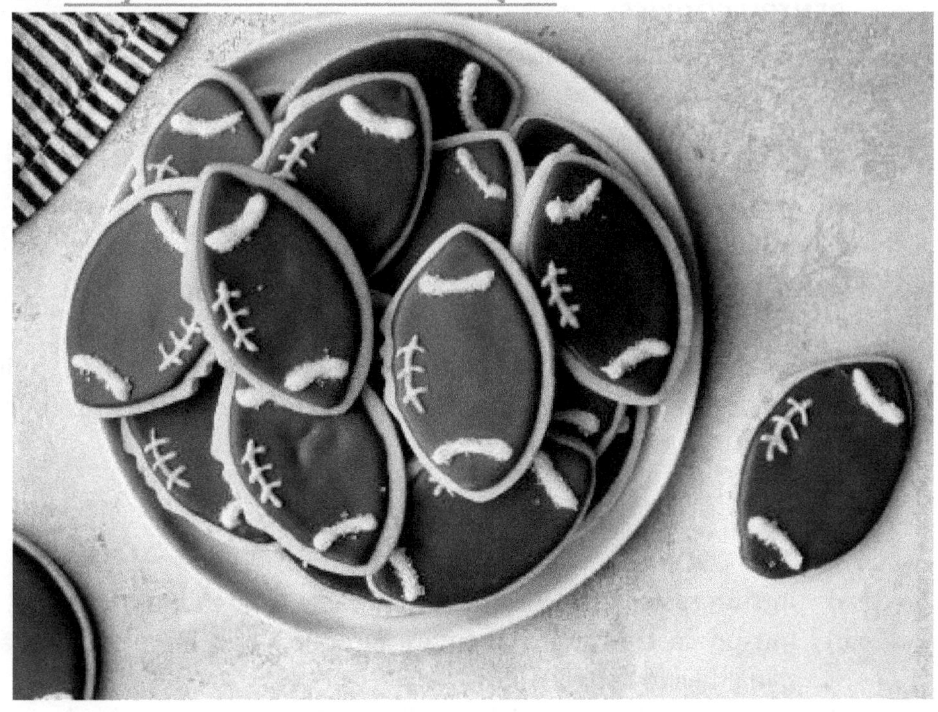

INGREDIENTE:

PENTRU COOKIES:

- 2 ½ căni de făină universală
- 1 cană unt nesărat, înmuiat
- 1 cană zahăr granulat
- 1 ou mare
- 1 lingurita extract de vanilie
- ½ linguriță extract de migdale (opțional)
- ¼ lingurita sare

PENTRU DECORATIA DE FOTBAL CANDIQUIK:

- 1 pachet CandiQuik (acoperire de bomboane cu aroma de vanilie)
- Chips de ciocolată neagră sau glazură de ciocolată (pentru șireturile de fotbal)

INSTRUCȚIUNI:

PENTRU COOKIES:

a) Într-un castron mediu, amestecați făina și sarea. Pus deoparte.
b) Într-un castron mare, cremă împreună untul înmuiat și zahărul până devine ușor și pufos.
c) Adăugați oul, extractul de vanilie și extractul de migdale (dacă este folosit) la amestecul de unt și zahăr. Se amestecă până se combină bine.
d) Adăugați treptat ingredientele uscate la ingredientele umede, amestecând până se formează un aluat moale.
e) Împărțiți aluatul în două părți, modelați fiecare câte un disc, înfășurați-l în folie de plastic și lăsați-l la frigider pentru cel puțin 1 oră.
f) Preîncălziți cuptorul la 350 ° F (175 ° C) și tapetați foile de copt cu hârtie de copt.
g) Întindeți aluatul răcit pe o suprafață cu făină la aproximativ ¼ inch grosime.
h) Folosiți un tăietor de biscuiți în formă de fotbal pentru a tăia forme de fotbal din aluat.
i) Așezați fursecurile în formă de fotbal pe foile de copt pregătite și coaceți timp de 10-12 minute sau până când marginile sunt ușor aurii.

j) Lăsați fursecurile să se răcească pe foile de copt timp de câteva minute înainte de a le transfera pe un grătar pentru a se răci complet.

PENTRU DECORATIA DE FOTBAL CANDIQUIK:

k) Topiți CandiQuik conform instrucțiunilor de pe ambalaj. De obicei, aceasta implică punerea la microunde la intervale de 30 de secunde până când se topește complet.

l) Înmuiați fiecare prăjitură în formă de fotbal în CandiQuik topit, asigurând o acoperire uniformă.

m) Pune fursecurile acoperite pe o tava tapetata cu pergament.

n) Înainte ca seturile de acoperire CandiQuik, utilizați fulgi de ciocolată neagră sau glazură de ciocolată pentru a crea șireturi de fotbal pe suprafața fiecărui prăjitură.

o) Lăsați stratul CandiQuik să se întărească complet înainte de servire.

12.CandiQuik Ciocolata Cirese

INGREDIENTE:

- Fursecuri scurte
- 1 pachet (16 uncii) CandiQuik Candy Coating
- Cireșe uscate sau conserve de cireșe

INSTRUCȚIUNI:

a) Topiți stratul CandiQuik Candy conform instrucțiunilor de pe ambalaj.
b) Înmuiați fiecare prăjitură scurtă în CandiQuik topit pentru a-l acoperi.
c) Puneți deasupra o cireșă uscată sau întindeți o cantitate mică de conserve de cireșe.
d) Lăsați stratul să se întărească înainte de servire.

13.CandiQuik Yard Line

INGREDIENTE:

PENTRU COOKIES:

- Rețeta ta preferată de prăjituri cu zahăr sau aluatul de prăjituri cu zahăr cumpărat din magazin

PENTRU DECORATIA CANDIQUIK:

- 1 pachet CandiQuik (acoperire de bomboane cu aroma de vanilie)
- Colorant alimentar verde
- Glazură albă sau bomboane albe topite (pentru linii de curte)

INSTRUCȚIUNI:

PENTRU COOKIES:

a) Preîncălziți cuptorul în conformitate cu rețeta de prăjituri cu zahăr sau cu instrucțiunile de pe aluatul de prăjituri cumpărat din magazin.
b) Pregătiți aluatul de biscuiți cu zahăr conform rețetei sau instrucțiunilor de pe ambalaj.
c) Întindeți aluatul de fursecuri pe o suprafață înfăinată până la o grosime de aproximativ ¼ inch.
d) Folosiți o tăietură rotundă pentru prăjituri pentru a tăia cercuri din aluat. Acestea vor fi prăjiturile dvs. de tip „yard line".
e) Așezați fursecurile pe o foaie de copt tapetată cu pergament și coaceți conform rețetei sau instrucțiunilor de pe ambalaj. Lăsați fursecurile să se răcească complet.

PENTRU DECORATIA CANDIQUIK:

f) Rupeți CandiQuik-ul în bucăți și puneți-l într-un bol termorezistent. Topiți CandiQuik conform instrucțiunilor de pe ambalaj. De obicei, aceasta implică punerea la microunde la intervale de 30 de secunde până când se topește complet.
g) Adăugați colorant alimentar verde la CandiQuik topit și amestecați până obțineți o culoare verde vibrantă. Acesta va fi fundalul „teren de fotbal".
h) Înmuiați fiecare prăjitură răcită în CandiQuik verde, asigurând o acoperire uniformă. Pune fursecurile acoperite pe o tava tapetata cu pergament.
i) În timp ce învelișul CandiQuik este încă umed, utilizați glazură albă sau bomboane albe topite pentru a crea linii de curte pe fiecare prăjitură. Puteți folosi o pungă sau o pungă mică cu fermoar cu colțul tăiat pentru asta.
j) Lăsați stratul și glazura CandiQuik să se întărească complet înainte de servire.

14.Biscuiti cu ceas de Anul Nou

INGREDIENTE:

- CandiQuik (acoperire cu ciocolata alba)
- Prajituri cu sandvici cu ciocolata
- Spray comestibil de aur sau argint
- Decoratiuni de ceas comestibile

INSTRUCȚIUNI:

a) Topiți ciocolata albă CandiQuik conform instrucțiunilor de pe ambalaj.

b) Separați fursecurile de tip sandwich cu ciocolată și înmuiați o parte în CandiQuik topit.

c) Puneți decorațiuni de ceas comestibile pe partea acoperită a prăjiturii.

d) Pulverizați marginile cu spray comestibil auriu sau argintiu pentru o notă festivă.

e) Lăsați CandiQuik să se stabilească înainte de servire.

15.Biscuiți cu cremă de cacao și mentă

INGREDIENTE:

- CandiQuik (acoperire cu ciocolata neagra)
- Extract de mentă
- Prajituri cu sandvici cu ciocolata

INSTRUCȚIUNI:

a) Topiți ciocolata neagră CandiQuik conform instrucțiunilor de pe ambalaj.
b) Adăugați câteva picături de extract de mentă la CandiQuik topit și amestecați bine.
c) Înmuiați fiecare prăjitură de tip sandwich cu ciocolată în CandiQuik cu aromă de mentă, asigurându-vă că este complet acoperit.
d) Puneți fursecurile acoperite pe hârtie de copt și lăsați-le să se întărească.

16.CandiQuik pentru Ziua Pământului Lorax

INGREDIENTE:

PENTRU COOKIES:

- Rețeta ta preferată de prăjituri cu zahăr sau aluatul de prăjituri cu zahăr cumpărat din magazin

PENTRU DECORARE:

- 1 pachet CandiQuik (acoperire de bomboane cu aroma de vanilie)
- Colorant alimentar portocaliu
- Marker negru comestibil sau glazură neagră
- Marker verde comestibil sau glazură verde
- Zaharuri sau stropi colorate asortate (opțional)

INSTRUCȚIUNI:

PENTRU COOKIES:

a) Preîncălziți cuptorul în conformitate cu rețeta de prăjituri cu zahăr sau cu instrucțiunile de pe aluatul de prăjituri cumpărat din magazin.
b) Pregătiți aluatul de biscuiți cu zahăr conform rețetei sau instrucțiunilor de pe ambalaj.
c) Întindeți aluatul de fursecuri pe o suprafață înfăinată până la o grosime de aproximativ ¼ inch.
d) Folosiți o tăietură rotundă pentru prăjituri pentru a tăia cercuri din aluat.
e) Așezați fursecurile pe o foaie de copt tapetată cu pergament și coaceți conform rețetei sau instrucțiunilor de pe ambalaj. Lăsați fursecurile să se răcească complet.

PENTRU DECORARE:

f) Rupeți CandiQuik-ul în bucăți și puneți-l într-un bol termorezistent. Topiți CandiQuik conform instrucțiunilor de pe ambalaj. De obicei, aceasta implică punerea la microunde la intervale de 30 de secunde până când se topește complet.
g) Adăugați colorant alimentar portocaliu la CandiQuik topit și amestecați până obțineți o culoare portocalie vibrantă.
h) Înmuiați fiecare prăjitură răcită în CandiQuik portocaliu, asigurând o acoperire uniformă. Pune fursecurile acoperite pe o tava tapetata cu pergament.
i) Lăsați stratul CandiQuik să se întărească complet.

j) Odată ce stratul este fixat, utilizați un marker negru comestibil sau glazură neagră pentru a desena ochii, mustața și gura lui Lorax pe fiecare prăjitură.
k) Folosește un marker verde comestibil sau glazură verde pentru a desena smocul de păr semnătura lui Lorax deasupra fursecurilor.
l) Optional, puteti adauga zaharuri colorate asortate sau stropi pentru un decor suplimentar.
m) Lăsați orice decorațiuni suplimentare să se stabilească înainte de servire.

17.Biscuiți surpriză pentru Valentine Valentine

INGREDIENTE:

- Aluat de biscuiti cu zahar
- Colorant alimentar roșu sau roz
- Inimioare de bomboane sau alte bomboane pe tema Valentine

INSTRUCȚIUNI:

a) Preîncălziți cuptorul la temperatura specificată pe pachetul de aluat de prăjituri.

b) Împărțiți aluatul de fursecuri în jumătate și colorați o porție cu colorant alimentar roșu sau roz.

c) Luați o cantitate mică din fiecare aluat colorat și presați-le împreună în jurul unei bomboane.

d) Rulați aluatul într-o bilă, asigurându-vă că bomboana este complet închisă.

e) Pune fursecurile pe o tava de copt si coace conform instructiunilor de pe ambalaj.

18.CandiQuik Harvest Corn Cookies

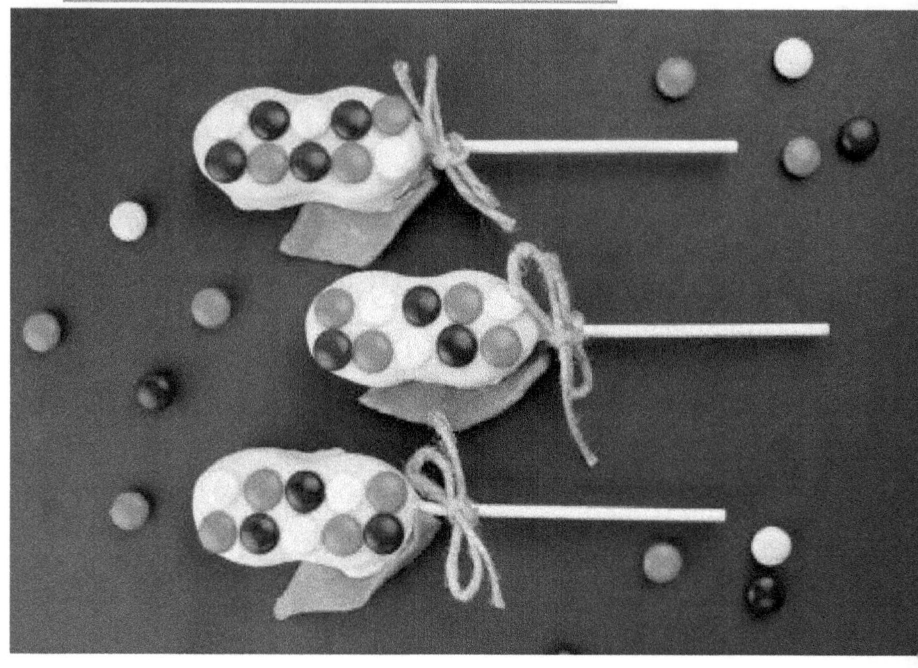

INGREDIENTE:

- Prajituri cu zahar (rotunde sau ovale)
- 1 pachet (16 uncii) CandiQuik Candy Coating
- Colorant alimentar galben și portocaliu
- Chipsuri de ciocolată în miniatură

INSTRUCȚIUNI:

a) Topiți stratul CandiQuik Candy conform instrucțiunilor de pe ambalaj.
b) Împărțiți învelișul în două părți și colorați una cu colorant alimentar galben și cealaltă cu portocaliu.
c) Înmuiați fiecare fursec în stratul galben, lăsând o mică porție neînmuiată pentru coaja de porumb.
d) Lăsați stratul galben să se întărească.
e) Înmuiați porțiunea neînmuiată în stratul portocaliu pentru a crea coaja de porumb.
f) Puneți chipsuri de ciocolată în miniatură pe porția galbenă pentru boabe de porumb.
g) Lăsați acoperirea să se stabilească înainte de servire.

19.Biscuiţi cu flori de inimă cu unt de arahide

INGREDIENTE:

- 1 cană unt de arahide
- 1 cană zahăr
- 1 ou
- 1 lingurita extract de vanilie
- Ciocolata Hershey's Kisses, desfăcută

INSTRUCȚIUNI:

a) Preîncălziți cuptorul la 350 ° F (175 ° C) și tapetați o tavă de copt cu hârtie de copt.
b) Într-un castron, cremă împreună untul de arahide, zahărul, ouăle și extractul de vanilie.
c) Rulați aluatul în bile mici și puneți-le pe tava de copt.
d) Coaceți 10-12 minute sau până când marginile sunt aurii.
e) Scoateți din cuptor și apăsați imediat un Hershey's Kiss în centrul fiecărui prăjitură.
f) Lăsați fursecurile să se răcească pe tava de copt înainte de a le transfera pe un grătar.

20. Biscuiți cu căpșuni înmuiați în ciocolată

INGREDIENTE:

PENTRU COOKIES:

- 1 cană unt nesărat, înmuiat
- 1 cană zahăr granulat
- 2 ouă mari
- 1 lingurita extract de vanilie
- 3 căni de făină universală
- ½ linguriță de praf de copt
- ¼ lingurita sare
- ½ cană gem de căpșuni sau conserve

PENTRU ACOPEREA DE CIOOCOLATĂ:

- 1 pachet CandiQuik (acoperire de bomboane cu aroma de vanilie)
- Căpșuni proaspete, spălate și uscate

INSTRUCȚIUNI:

PENTRU COOKIES:

a) Preîncălziți cuptorul la 350°F (175°C). Tapetați foile de copt cu hârtie de copt.
b) Într-un castron mare, cremă împreună untul înmuiat și zahărul până devine ușor și pufos.
c) Adaugam ouale pe rand, batand bine dupa fiecare adaugare. Se amestecă extractul de vanilie.
d) Într-un castron separat, amestecați făina, praful de copt și sarea.
e) Adăugați treptat ingredientele uscate la ingredientele umede, amestecând până se combină.
f) Puneți linguri rotunjite de aluat de prăjituri pe foile de copt pregătite, lăsând puțin spațiu între fiecare.
g) Folosește-ți degetul mare sau dosul unei linguri mici pentru a face o adâncitură în centrul fiecărui prăjitură.
h) Umpleți fiecare adâncitură cu o cantitate mică de dulceață de căpșuni sau conserve.
i) Coacem in cuptorul preincalzit 10-12 minute sau pana cand marginile fursecurilor sunt usor aurii.
j) Lăsați fursecurile să se răcească pe foile de copt timp de câteva minute înainte de a le transfera pe un grătar pentru a se răci complet.

PENTRU ACOPEREA DE CIOOCOLATĂ:

k) Topiți CandiQuik conform instrucțiunilor de pe ambalaj. De obicei, aceasta implică punerea la microunde la intervale de 30 de secunde până când se topește complet.

l) Înmuiați partea superioară a fiecărui fursec umplut cu căpșuni răcit în CandiQuik topit, acoperind dulceața de căpșuni.

m) Pune fursecurile scufundate pe o tava tapetata cu pergament pentru a permite ciocolatei sa se fixeze.

n) Dacă doriți, picurați CandiQuik topit suplimentar peste prăjiturile înmuiate pentru o notă decorativă.

o) Lăsați stratul de ciocolată să se întărească complet înainte de servire.

p) Ornați fiecare fursec cu căpșuni înmuiat în ciocolată cu o căpșună proaspătă deasupra pentru un plus de fler.

21.Prajituri cu broasca CandiQuik

INGREDIENTE:

- Fursecuri napolitane cu vanilie
- Bomboane verzi se topesc sau ciocolată albă de culoare verde
- Bomboanele albe se topesc sau ciocolata albă de culoare albă
- Ochi de bomboane
- Bomboane roșii (pentru gură)
- Opțional: decorațiuni suplimentare de bomboane pentru decorațiuni
- Hârtie pergament

INSTRUCȚIUNI:

a) Tapetați o tavă sau o foaie de copt cu hârtie de copt.
b) Rupeți bomboanele verzi și cele albe în boluri separate. Topiți fiecare culoare conform instrucțiunilor de pe ambalaj. De obicei, acest lucru implică punerea lor la microunde la intervale de 30 de secunde până când se topesc complet.
c) Înmuiați fiecare fursec de napolitană cu vanilie în bomboane topite verzi, asigurându-vă că este complet acoperit. Utilizați o furculiță sau un instrument de scufundare pentru a ajuta la acoperire.
d) Lăsați orice exces de strat de bomboane verzi să se scurgă, apoi puneți fursecurile acoperite pe hârtie de pergament.
e) În timp ce stratul verde de bomboane este încă umed, atașați ochi de bomboane în partea de sus a fiecărei prăjituri acoperite. De asemenea, puteți folosi o cantitate mică de strat de bomboane verde topit ca „clei” pentru ochi.
f) Pune o bomboană roșie sub ochi pentru a crea gura broaștei.
g) Folosiți o scobitoare sau un ustensil mic pentru a picura învelișul de bomboane albe topite peste stratul verde pentru a crea modele de broaște sau marcaje.
h) Opțional: decorați broaștele cu decorațiuni suplimentare de bomboane pentru împodobiri, cum ar fi stropi colorate sau bomboane mici.
i) Lăsați stratul de bomboane să se întărească complet.
j) Odată setat, prăjiturile tale cu broasca sunt gata pentru a fi savurate!

22.CandiQuik Piña Colada

INGREDIENTE:

PENTRU MACARONES:

- 3 cesti nuca de cocos maruntita (indulcita)
- ½ cană CandiQuik (acoperire de bomboane cu aromă de vanilie), topit
- ⅓ cană lapte condensat îndulcit
- ¼ cană suc de ananas
- 1 lingurita extract de vanilie
- ½ cană de ananas tocat mărunt (conserve sau proaspăt)
- Vârf de cuţit de sare

PENTRU ACOPERIREA CANDIQUIK:

- 1 pachet CandiQuik (acoperire de bomboane cu aroma de vanilie)
- 1 lingura ulei de cocos

INSTRUCȚIUNI:

PENTRU MACARONES:

a) Preîncălziți cuptorul la 325°F (163°C). Tapetați o foaie de copt cu hârtie de copt.
b) Într-un castron mare, combinați nuca de cocos mărunțită, CandiQuik topit, laptele condensat îndulcit, sucul de ananas, extractul de vanilie, ananasul tocat mărunt și un praf de sare. Se amestecă până se combină bine.
c) Folosind o linguriță de prăjituri sau cu mâinile tale, formați mici movile de amestec și așezați-le pe foaia de copt pregătită.
d) Coacem in cuptorul preincalzit 15-18 minute sau pana cand marginile macaroons-urilor devin maro auriu.
e) Lăsați macaroanele să se răcească complet pe tava de copt.

PENTRU ACOPERIREA CANDIQUIK:

f) Topiți CandiQuik conform instrucțiunilor de pe ambalaj. De obicei, aceasta implică punerea la microunde la intervale de 30 de secunde până când se topește complet.
g) Se amestecă uleiul de cocos până se combină bine.

ASAMBLARE:

h) Înmuiați fundul fiecărui macaroon răcit în stratul CandiQuik, lăsând orice exces să se scurgă.
i) Puneți macaroanele acoperite pe o tavă tapetată cu pergament.
j) Opțional, stropiți un strat suplimentar de CandiQuik peste partea de sus a fiecărui macaron pentru decorare.
k) Lăsați acoperirea CandiQuik să se întărească complet înainte de servire.

23.Ornamente CandiQuik Oreo

INGREDIENTE:

- Oreos (obișnuit sau dublu umplut)
- 1 pachet CandiQuik (acoperire de bomboane cu aroma de vanilie)
- Glazura colorata asortita sau bomboane topite pentru decor
- Stropi asortate sau decoratiuni comestibile
- Panglică sau sfoară (pentru agățat)

INSTRUCȚIUNI:

a) Tapetați o foaie de copt cu hârtie de copt.
b) Separați fursecurile Oreo, păstrând intactă partea cu umplutura de cremă.
c) Rupeți CandiQuik-ul în bucăți și puneți-l într-un bol termorezistent. Topiți CandiQuik conform instrucțiunilor de pe ambalaj. De obicei, aceasta implică punerea la microunde la intervale de 30 de secunde până când se topește complet.
d) Folosind o furculiță sau o scobitoare, scufundați fiecare prăjitură Oreo în CandiQuik topit, asigurând o acoperire uniformă. Lăsați excesul de acoperire să se scurgă.
e) Așezați Oreourile acoperite pe tava tapetată cu hârtie de copt.
f) În timp ce stratul CandiQuik este încă umed, utilizați glazură colorată sau bomboane topite pentru a crea modele festive pe fiecare Oreo, cum ar fi vârtej, dungi sau modele de sărbători.
g) Presărați stropi colorate asortate sau decorațiuni comestibile pe stratul umed CandiQuik pentru un plus de fler festiv.
h) Lăsați stratul și decorațiunile CandiQuik să se întărească parțial, dar nu complet ferm.
i) Folosind o scobitoare sau o frigarui, faceti o gaura mica in partea de sus a fiecarui Oreo acoperit pentru a introduce panglica sau sfoara.
j) Lăsați acoperirea CandiQuik să se întărească și să se întărească complet.
k) Odată ce ornamentele Oreo sunt complet fixate, treceți o panglică sau o sfoară prin gaură, faceți un nod și creați o buclă pentru agățat.
l) Agățați ornamentele Oreo pe un copac sau aranjați-le într-un bol decorativ pentru o expoziție festivă.

TRUFELE

24.Trufe CandiQuik Kahlua

INGREDIENTE:

- 1 pachet (16 uncii) CandiQuik Candy Coating
- ¼ cană smântână groasă
- 2 linguri de unt nesarat
- 3 linguri de lichior Kahlua
- Pudră de cacao sau zahăr pudră pentru acoperire

INSTRUCȚIUNI:

a) Într-o cratiță de mărime medie, topește învelișul CandiQuik Candy la foc mic, amestecând constant.
b) Odată topit, adăugați în cratiță smântâna groasă și untul nesarat. Continuați să amestecați până când amestecul este omogen și bine combinat.
c) Scoateți cratita de pe foc și amestecați lichiorul Kahlua până se încorporează complet.
d) Lăsați amestecul să se răcească la temperatura camerei. După ce s-a răcit, acoperă cratita și dă-l la frigider pentru cel puțin 2 ore sau până când amestecul este ferm.
e) Odată ce amestecul este ferm, folosiți o lingură sau o lingură mică pentru a porționa porțiile de mărimea trufei. Rulați fiecare porție într-o bilă și puneți-le pe o tavă tapetată cu pergament.
f) Dacă doriți, rulați trufele în pudră de cacao sau zahăr pudră pentru a le acoperi.
g) Dați trufele la frigider pentru încă 30 de minute pentru a se întări.
h) Serviți și bucurați-vă de delicioasele trufe CandiQuik Kahlua!

25.CandiQuik Miere Cimbru

INGREDIENTE:

PENTRU TRUFE:

- 1 pachet CandiQuik (acoperire de bomboane cu aroma de vanilie)
- ½ cană smântână groasă
- 2 linguri miere
- 1 lingura frunze de cimbru proaspat, tocate marunt
- Zest de 1 lămâie

PENTRU ACOPERIRE:

- ½ cană fistic tocate fin sau migdale (pentru acoperire)
- Frunze suplimentare de cimbru proaspăt pentru decor

INSTRUCȚIUNI:

a) Într-o cratiță mică, încălziți smântâna groasă la foc mediu până când începe să fiarbă. Se ia de pe foc.
b) Rupeți CandiQuik-ul în bucăți și puneți-l într-un bol termorezistent. Se toarnă crema fierbinte peste CandiQuik și se lasă să stea un minut să se înmoaie.
c) Amestecați amestecul până când CandiQuik este complet topit și neted.
d) Adaugati mierea, frunzele de cimbru tocate marunt si coaja de lamaie in amestecul topit de CandiQuik. Se amestecă bine pentru a se combina.
e) Lăsați amestecul să se răcească la temperatura camerei, apoi dați-l la frigider pentru cel puțin 2 ore sau până când devine suficient de ferm pentru a fi manipulat.
f) Într-un castron puțin adânc, puneți fisticul sau migdalele tăiate mărunt pentru acoperire.
g) Odată ce amestecul de trufe s-a răcit, folosiți o lingură sau un bile de pepene galben pentru a scoate porții mici și a le rula în bile.
h) Rulați fiecare trufa în fisticul sau migdalele tocate, asigurând o acoperire uniformă.
i) Asezati trufele acoperite pe o tava tapetata cu pergament.
j) Ornează fiecare trufă cu o frunză mică de cimbru pentru decor.
k) Dați trufele la frigider pentru aproximativ 30 de minute pentru a se întări.
l) Servește și bucură-te de aceste trufe cu miere și cimbru ca un răsfăț încântător, cu o combinație unică de arome!

26.Trufe de fasole neagră CandiQuik

INGREDIENTE:

- 1 conserve (15 uncii) de fasole neagră, scursă și clătită
- ½ cană pudră de cacao
- ¼ cană miere sau sirop de arțar
- 1 lingurita extract de vanilie
- Vârf de cuțit de sare
- 1 pachet (16 uncii) CandiQuik Candy Coating

INSTRUCȚIUNI:

a) Într-un robot de bucătărie, amestecați fasolea neagră, pudra de cacao, mierea sau siropul de arțar, extractul de vanilie și sarea până când se formează un amestec omogen.
b) Formați din amestec bile de mărimea unei trufe și puneți-le pe o tavă tapetată cu pergament.
c) Topiți stratul CandiQuik Candy conform instrucțiunilor de pe ambalaj.
d) Înmuiați fiecare trufă în CandiQuik topit pentru a o acoperi.
e) Lăsați stratul să se întărească înainte de servire.

27.Trufe Bourbon CandiQuik

INGREDIENTE:

- 1 pachet (16 uncii) CandiQuik Candy Coating
- ¼ cană smântână groasă
- 2 linguri de unt nesarat
- 3 linguri de bourbon
- Pudră de cacao, zahăr pudră sau nuci mărunțite pentru acoperire

INSTRUCȚIUNI:

a) Într-o cratiță de mărime medie, topește învelișul CandiQuik Candy la foc mic, amestecând constant.
b) Odată topit, adăugați în cratiță smântâna groasă și untul nesarat. Continuați să amestecați până când amestecul este omogen și bine combinat.
c) Scoateți cratita de pe foc și amestecați bourbonul până se încorporează complet.
d) Lăsați amestecul să se răcească la temperatura camerei. După ce s-a răcit, acoperă cratita și dă-l la frigider pentru cel puțin 2 ore sau până când amestecul este ferm.
e) Odată ce amestecul este ferm, folosiți o lingură sau o lingură mică pentru a porționa porțiile de mărimea trufei. Rulați fiecare porție într-o minge.
f) Rulați trufele în pudră de cacao, zahăr pudră sau nuci mărunțite pentru a le acoperi.
g) Asezati trufele acoperite pe o tava tapetata cu pergament.
h) Dați trufele la frigider pentru încă 30 de minute pentru a se întări.
i) Serviți și bucurați-vă de delicioasele trufe CandiQuik Bourbon!

28.Trufe cu bacon de ciocolata

INGREDIENTE:

PENTRU TRUFE:

- 1 cană de bacon fiartă și mărunțită
- 1 ½ cani CandiQuik (acoperire de bomboane cu aroma de vanilie)
- ½ cană smântână groasă
- ¼ cană unt nesărat
- 1 lingurita extract de vanilie
- Vârf de cuțit de sare

PENTRU ACOPERIRE:

- 1 cană ciocolată neagră, topită
- Slănină mărunțită pentru topping

INSTRUCȚIUNI:

PENTRU TRUFE:

a) Într-o cratiță mică, încălziți smântâna groasă la foc mediu până când începe să fiarbă. Se ia de pe foc.
b) Într-un castron rezistent la căldură, combinați CandiQuik, baconul mărunțit și sarea.
c) Se toarnă smântâna fierbinte peste amestecul de CandiQuik și slănină. Lăsați-l să stea un minut pentru a înmuia stratul de bomboane.
d) Amestecați amestecul până când CandiQuik este complet topit și neted.
e) Adăugați untul nesărat și extractul de vanilie la amestecul CandiQuik. Se amestecă până când untul este topit, iar amestecul este bine combinat.
f) Dați amestecul de trufe la frigider pentru cel puțin 2 ore sau până când devine suficient de ferm pentru a fi manipulat.

PENTRU MONTARE:

g) Odată ce amestecul de trufe s-a răcit, folosiți o lingură sau un bile de pepene galben pentru a scoate porții mici și a le rula în bile.
h) Puneți bilutele de trufe pe o tavă tapetată cu pergament și puneți-le la frigider în timp ce pregătiți acoperirea.

PENTRU ACOPERIRE:

i) Topiți ciocolata neagră conform instrucțiunilor de pe ambalaj. De obicei, aceasta implică punerea la microunde la intervale de 30 de secunde până când se topește complet.
j) Înmuiați fiecare trufă în ciocolata neagră topită, asigurând o acoperire uniformă.
k) Pune trufele acoperite înapoi pe tava tapetată cu pergament.
l) Înainte ca ciocolata neagră să se înmulțească, presărați slănină mărunțită deasupra fiecărei trufe pentru un plus de aromă și decor.
m) Lăsați stratul să se întărească complet înainte de servire.

29.Trufe cu condimente mexicane Cinco de Mayo

INGREDIENTE:

PENTRU TRUFE:

- 1 pachet CandiQuik (acoperire de bomboane cu aroma de vanilie)
- ½ cană smântână groasă
- 1 lingurita scortisoara macinata
- ½ lingurita de nucsoara macinata
- ¼ lingurita de piper cayenne macinat (ajustati dupa gust pentru picant)
- ¼ linguriță cuișoare măcinate
- ¼ de linguriță de ienibahar măcinat
- Zeste de 1 portocală

PENTRU ACOPERIRE:

- ½ cană pudră de cacao
- ¼ cană zahăr pudră
- 1 lingurita de scortisoara macinata (pentru praf)

INSTRUCȚIUNI:

a) Într-o cratiță mică, încălziți smântâna groasă la foc mediu până când începe să fiarbă. Se ia de pe foc.
b) Rupeți CandiQuik-ul în bucăți și puneți-l într-un bol termorezistent. Se toarnă crema fierbinte peste CandiQuik și se lasă să stea un minut să se înmoaie.
c) Amestecați amestecul până când CandiQuik este complet topit și neted.
d) Adauga scortisoara macinata, nucsoara, ardeiul cayenne, cuisoarele, ienibaharul si coaja de portocala la amestecul topit CandiQuik. Se amestecă bine pentru a se combina.
e) Lăsați amestecul să se răcească la temperatura camerei, apoi dați-l la frigider pentru cel puțin 2 ore sau până când devine suficient de ferm pentru a fi manipulat.
f) Într-un castron puțin adânc, combinați pudra de cacao și zahărul pudră. Pus deoparte.
g) Odată ce amestecul de trufe s-a răcit, folosiți o lingură sau un bile de pepene galben pentru a scoate porții mici și a le rula în bile.
h) Rulați fiecare trufă în amestecul de cacao pudră și zahăr pudră, asigurând o acoperire uniformă.

i) Asezati trufele acoperite pe o tava tapetata cu pergament.
j) Pudrați trufele cu puțină scorțișoară măcinată pentru un strat suplimentar de aromă.
k) Dați trufele la frigider pentru aproximativ 30 de minute pentru a se întări.
l) Servește și bucură-te de aceste trufe cu condimente mexicane ca un răsfăț încântător pentru Cinco de Mayo sau orice ocazie specială!

30.Trufe pentru plăcintă cu nuci pecan CandiQuik

INGREDIENTE:

PENTRU TRUFE:

- 1 cană nuci pecan, tocate mărunt
- 1 cană firimituri de biscuiți Graham
- ½ cană sirop ușor de porumb
- ¼ cană unt nesărat, topit
- ¼ cană zahăr brun
- 1 lingurita extract de vanilie
- Vârf de cuțit de sare

PENTRU ACOPERIRE:

- 1 pachet CandiQuik (acoperire de bomboane cu aroma de vanilie)

PENTRU GARNIREA (OPTIONAL):

- Nuci pecan întregi pentru decor
- Pesmet suplimentar de biscuit Graham

INSTRUCȚIUNI:

PENTRU TRUFE:

a) Într-un castron mare, combinați nucile pecan tocate fin, firimiturile de biscuit Graham, siropul ușor de porumb, untul topit, zahărul brun, extractul de vanilie și un praf de sare. Se amestecă până se combină bine.

b) Pune amestecul la frigider pentru aproximativ 30 de minute pentru a se întări.

c) Odată ce amestecul este ferm, folosiți mâinile pentru a rula porții mici în bile de mărimea unei trufe și așezați-le pe o tavă tapetată cu pergament.

PENTRU ACOPERIRE:

d) Topiți CandiQuik conform instrucțiunilor de pe ambalaj. De obicei, aceasta implică punerea la microunde la intervale de 30 de secunde până când se topește complet.

e) Cu o furculiță sau o scobitoare, înmuiați fiecare trufă de plăcintă cu nuci pecan în CandiQuik topit, asigurând o acoperire uniformă.

f) Pune trufele acoperite înapoi pe tava tapetată cu pergament.

PENTRU GARNIREA (OPTIONAL):

g) În timp ce învelișul CandiQuik este încă umed, puneți o nucă pecan întreagă deasupra fiecărei trufe pentru decorare.

h) Presărați firimituri suplimentare de biscuiți Graham peste partea de sus a fiecărei trufe pentru un plus de aromă și textură.

i) Lăsați stratul CandiQuik să se întărească complet înainte de servire.

31.Linguri de ciocolată cu trufe cu unt de arahide

INGREDIENTE:

- 1 cană de unt de arahide cremos
- ½ cană de zahăr pudră
- ¼ cană unt nesărat, înmuiat
- 1 lingurita extract de vanilie
- Vârf de cuțit de sare
- 1 pachet CandiQuik (acoperire de bomboane cu aroma de vanilie)
- Forme pentru ciocolată sau bomboane
- Linguri de lemn sau linguri de plastic pentru scufundare

INSTRUCȚIUNI:

a) Într-un castron, combinați untul de arahide cremos, zahărul pudră, untul moale, extractul de vanilie și un praf de sare. Se amestecă până se combină bine.
b) Rulați amestecul de unt de arahide în bile mici de mărimea unei trufe și puneți-le pe o tavă tapetată cu pergament. Pune tava la frigider pentru aproximativ 30 de minute pentru a întări trufele.
c) Rupeți CandiQuik-ul în bucăți și puneți-l într-un bol termorezistent. Topiți CandiQuik conform instrucțiunilor de pe ambalaj. De obicei, aceasta implică punerea la microunde la intervale de 30 de secunde până când se topește complet.
d) Pregătiți-vă formele pentru ciocolată sau bomboane. Dacă folosiți linguri de lemn sau plastic, înmuiați capetele de linguri în CandiQuik topit pentru a crea o bază de ciocolată.
e) Puneți o trufă cu unt de arahide deasupra fiecărei linguri acoperite cu ciocolată sau în fiecare formă.
f) Turnați mai mult CandiQuik topit peste trufele cu unt de arahide pentru a le acoperi complet.
g) Lăsați stratul CandiQuik să se întărească parțial, dar nu complet ferm.
h) Opțional: dacă doriți, puteți stropi suplimentar CandiQuik topit deasupra pentru decorare.
i) Lăsați stratul de ciocolată să se întărească și să se întărească complet.
j) Odată setate, lingurile de ciocolată cu trufe cu unt de arahide sunt gata pentru a fi savurate!

32.Trufe de tort cu ciocolată

INGREDIENTE:

TORT:

- 1 cutie de amestec de tort cu ciocolata neagra (+ ingrediente pentru amestecul de tort)
- 1¼ cană de bere Guinness Extra Stout

GLAZURĂ:

- 8 linguri (1 baton) unt
- 3-4 cani de zahar pudra, cernut
- 3 linguri de bere tare (de ex. Guinness)
- ½ linguriță extract de vanilie
- Vârf de cuțit de sare

STRAT:

- 2 pachete de acoperire CandiQuik de ciocolata

INSTRUCȚIUNI:

a) Pregătiți prăjitura conform instrucțiunilor de pe cutie (înlocuind apa cu o cantitate egală, 1-¼ cani, de bere porter sau stout).
b) Se sfărâmă tortul răcit într-un castron mare.
c) Pregătiți glazura: amestecați untul înmuiat până devine pufos. Adăugați încet zahăr pudră, stout, vanilie și sare; bate la foc mediu-mare timp de 3 minute sau până când este ușor și pufos.
d) Adăugați ½ cană de glazură la tortul sfărâmat și amestecați bine.
e) Rulați amestecul în bile de 1 inch și puneți-le la frigider pentru aproximativ 1 oră.
f) Topiți ciocolata CandiQuik în tava pentru microunde conform instrucțiunilor de pe ambalaj. Înmuiați bilele de tort în strat de ciocolată și puneți-le pe hârtie ceară pentru a se întări.

33.Tort cu șampanie Trufe

INGREDIENTE:

PENTRU TRUFELE DE COC:

- 1 cutie de amestec de tort cu aromă de șampanie (plus ingredientele enumerate pe cutie, de exemplu, ouă, ulei, apă)
- 1 cană de șampanie sau de vin spumant
- ½ cană de glazură cu cremă de unt (cumpărată din magazin sau de casă)
- 1 pachet CandiQuik (acoperire de bomboane cu aroma de vanilie)
- Praf comestibil de aur sau argint pentru decorare (opțional)

PENTRU CAKE POPS (OPȚIONAL):

- Bețișoare de acadele
- CandiQuik suplimentar pentru acoperire
- Praf comestibil de aur sau argint pentru decorare (opțional)

INSTRUCȚIUNI:

PENTRU TRUFELE DE COC:

a) Preîncălziți cuptorul conform instrucțiunilor din amestecul pentru tort. Unge și făină o tavă de tort.
b) Pregătiți amestecul de tort cu aromă de șampanie conform instrucțiunilor de pe ambalaj, înlocuind apă cu șampanie.
c) Coaceți tortul conform instrucțiunilor și lăsați-l să se răcească complet.
d) Odată ce prăjitura s-a răcit, sfărâmă-l în firimituri fine într-un castron mare.
e) Adăugați glazura de cremă de unt pe firimiturile de tort și amestecați până se omogenizează bine. Amestecul trebuie să aibă o consistență asemănătoare aluatului.
f) Formați amestecul în bile mici de mărimea unei trufe și puneți-le pe o tavă tapetată cu pergament.
g) Topiți CandiQuik conform instrucțiunilor de pe ambalaj. De obicei, aceasta implică punerea la microunde la intervale de 30 de secunde până când se topește complet.
h) Înmuiați fiecare trufă de prăjitură în CandiQuik topit, asigurând o acoperire uniformă.
i) Pune trufele acoperite înapoi pe tava tapetată cu pergament.

j) Dacă doriți, presărați praf comestibil de aur sau argintiu deasupra trufelor pentru o notă decorativă.
k) Lăsați stratul CandiQuik să se întărească complet înainte de servire.

PENTRU CAKE POPS (OPȚIONAL):

l) Urmați pașii de mai sus pentru a pregăti amestecul de trufe de prăjitură și modelați-le în bile.
m) În loc să puneți trufele pe o tavă, introduceți bețișoare de acadele în fiecare bilă de tort pentru a crea cake pops.
n) Topiți CandiQuik suplimentar pentru a acoperi cake pops.
o) Înmuiați fiecare prajitură în CandiQuik topit, asigurând o acoperire uniformă.
p) Lăsați excesul de acoperire să se scurgă înainte de a pune cake pops pe o tavă tapetată cu pergament.
q) Opțional: presărați praf comestibil de aur sau argintiu deasupra cake pops pentru decor.
r) Lăsați stratul CandiQuik să se întărească complet înainte de servire.

MUCĂTURI DE PRACTICĂ

34.CandiQuik Orange Creamsicle Tort Mușcături

INGREDIENTE:

- 1 cutie de amestec de tort cu vanilie (plus ingredientele necesare cum ar fi ouă, ulei, apă)
- 1 cană suc de portocale
- Coaja unei portocale
- 1 lingurita extract de vanilie
- ½ cană unt nesărat, topit
- 2 căni de acoperire CandiQuik (portocaliu sau alb)
- Colorant alimentar portocaliu (optional)
- Stropi pentru decor (optional)

INSTRUCȚIUNI:

a) Preîncălziți cuptorul conform instrucțiunilor din amestecul pentru tort.
b) Într-un castron mare, pregătiți amestecul de tort cu vanilie urmând instrucțiunile de pe cutie.
c) Adăugați sucul de portocale, coaja de portocale, extractul de vanilie și untul topit în aluatul de tort. Se amestecă până se combină bine.
d) Turnați aluatul într-o tavă unsă și unsă cu făină.
e) Coaceți tortul conform instrucțiunilor de pe ambalaj.
f) Odată copt, lăsați tortul să se răcească complet.
g) Se sfărâmă tortul răcit în firimituri fine folosind mâinile sau o furculiță.
h) Luați porții mici din firimiturile de tort și rulați-le în bile mici. Pune bilele de tort pe o tava tapetata cu pergament.
i) Într-un bol care poate fi utilizat în cuptorul cu microunde, topiți stratul CandiQuik conform instrucțiunilor de pe ambalaj. Dacă doriți, adăugați câteva picături de colorant alimentar portocaliu pentru a obține culoarea dorită.
j) Folosind o furculiță sau o scobitoare, înmuiați fiecare bilă de prăjitură în stratul topit CandiQuik, asigurându-vă că sunt acoperite uniform. Lăsați excesul de acoperire să se scurgă.
k) Puneți din nou bilele de tort acoperite pe hârtie de pergament. Decorați cu stropi imediat înainte ca stratul să se întărească.

l) Lăsați mușcăturile de tort să se răcească și acoperirea să se întărească complet punându-le la frigider pentru aproximativ 15-20 de minute.
m) Odată ce stratul este ferm, transferați Orange Creamsicle Cake Bites pe o farfurie de servire.
n) Serviți și bucurați-vă de aceste delicii încântătoare la următoarea dvs. întâlnire sau ca o răsfăț dulce.

35.Mușcături de cannoli CandiQuik

INGREDIENTE:

- 1 cană de brânză ricotta
- ½ cană de zahăr pudră
- ½ linguriță extract de vanilie
- ¼ cană mini chipsuri de ciocolată
- 1 pachet CandiQuik (acoperire de bomboane cu aroma de vanilie)
- ¼ cană fistic tocat (opțional, pentru garnitură)
- Mini coji de patiserie sau coji de cannoli

INSTRUCȚIUNI:

a) Într-un castron, combinați brânza ricotta, zahărul pudră și extractul de vanilie. Se amestecă până se combină bine.

b) Îndoiți mini chipsurile de ciocolată în amestecul de ricotta. Asigurați-vă că sunt distribuite uniform.

c) Topiți CandiQuik conform instrucțiunilor de pe ambalaj. De obicei, aceasta implică punerea la microunde la intervale de 30 de secunde până când se topește complet.

d) Înmuiați marginile mini-patului sau cojilor de cannoli în CandiQuik topit, asigurând o acoperire uniformă. Lăsați excesul de acoperire să se scurgă.

e) Puneți cojile acoperite pe o tavă tapetată cu pergament și lăsați-le să se întărească până când CandiQuik se întărește.

f) Umpleți o pungă cu amestecul de ricotta. Dacă nu aveți o pungă, puteți folosi o pungă Ziploc și puteți tăia o gaură mică într-un colț.

g) Puneți amestecul de ricotta în fiecare coajă acoperită, umplându-le.

h) Dacă doriți, presărați fistic tocat peste umplutura de ricotta expusă pentru un plus de aromă și textură.

i) Lăsați Cannoli Bites să se răcească în frigider timp de cel puțin 30 de minute pentru a lăsa umplutura să se stabilească.

j) Odată răcit, serviți și bucurați-vă de aceste delicioase mușcături de cannoli CandiQuik!

36.Bombe de tort cu cireșe CandiQuik

INGREDIENTE:

PENTRU TORT:

- 1 cutie de amestec alb pentru tort (plus ingredientele enumerate pe cutie, de exemplu, ouă, ulei, apă)
- 1 cana cirese maraschino, tocate si scurse
- ½ cană chipsuri de ciocolată albă

PENTRU ACOPERIRE:

- 1 pachet CandiQuik (acoperire de bomboane cu aroma de vanilie)

PENTRU DECORARE (OPȚIONAL):

- Bomboane roșii sau roz se topesc (pentru burniță)
- Cireșe maraschino suplimentare tocate

INSTRUCȚIUNI:

PENTRU TORT:

a) Preîncălziți cuptorul conform instrucțiunilor din amestecul pentru tort. Ungeți și făinați o tavă de copt de 9 x 13 inci.
b) Pregătiți amestecul alb de tort conform instrucțiunilor de pe ambalaj.
c) Incorporați cireșele maraschino tocate și fulgii de ciocolată albă în aluatul de tort.
d) Turnați aluatul în tava pregătită și coaceți conform instrucțiunilor de pe ambalaj.
e) Lăsați tortul să se răcească complet, apoi sfărâmă-l într-un castron mare.
f) Folosind mâinile sau o lingură, amestecați prăjitura mărunțită până obține o consistență asemănătoare unui aluat.
g) Luați porții mici din amestecul de tort și rulați-le în bile mici. Asezati-le pe o tava tapetata cu pergament.

PENTRU ACOPERIRE:

h) Topiți CandiQuik conform instrucțiunilor de pe ambalaj. De obicei, aceasta implică punerea la microunde la intervale de 30 de secunde până când se topește complet.
i) Înmuiați fiecare bilă de tort în CandiQuik topit, asigurând o acoperire uniformă.
j) Puneți din nou bilele de tort acoperite pe tava tapetată cu pergament.

PENTRU DECORARE (OPȚIONAL):

k) Topiți bomboane roșii sau roz conform instrucțiunilor de pe ambalaj.

l) Stropiți bomboanele topite peste bilele de tort acoperite pentru o notă decorativă.

m) Pune o bucată mică de cireș maraschino mărunțit deasupra fiecărei bombe de tort.

n) Lăsați stratul să se întărească complet înainte de servire.

37.Bile pentru Tort Margarita

INGREDIENTE:

PENTRU BILELE DE CAKET:

- 1 cutie de amestec alb pentru tort (plus ingredientele enumerate pe cutie, de exemplu, ouă, ulei, apă)
- ⅓ cană de tequila
- ¼ cană triplu sec
- Zeste de 2 lime

PENTRU GLAZA MARGARITA:

- 2 căni de zahăr pudră
- 2-3 linguri de tequila
- 1 lingura triplu sec
- Zest de 1 lime

PENTRU ACOPERIRE:

- 1 pachet CandiQuik (acoperire de bomboane cu aroma de vanilie)
- Sare grunjoasă (pentru garnitură, opțional)

INSTRUCȚIUNI:

PENTRU BILELE DE CAKET:

a) Preîncălziți cuptorul conform instrucțiunilor din amestecul pentru tort. Ungeți și făinați o tavă de copt de 9 x 13 inci.
b) Pregătiți amestecul alb de tort conform instrucțiunilor de pe ambalaj.
c) Odată ce aluatul este gata, adăugați tequila, triple sec și coaja de lămâie până se combină bine.
d) Coaceți tortul în tava pregătită conform instrucțiunilor de pe ambalaj. Lăsați-l să se răcească complet.
e) Odată ce prăjitura s-a răcit, sfărâmă-l în firimituri fine într-un castron mare.

PENTRU GLAZA MARGARITA:

f) Într-un castron separat, amestecați zahărul pudră, tequila, triple sec și coaja de lămâie până când obțineți o consistență netedă.
g) Turnați glazura peste firimiturile de tort și amestecați până se omogenizează bine.
h) Rulați amestecul în bile mici de tort, de aproximativ 1 până la 1,5 inci în diametru și așezați-le pe o tavă tapetată cu pergament.

i) Pune tava la frigider pentru cel putin 1-2 ore pentru a intari bilele de prajitura.

PENTRU ACOPERIRE:

j) Topiți CandiQuik conform instrucțiunilor de pe ambalaj. De obicei, aceasta implică punerea la microunde la intervale de 30 de secunde până când se topește complet.
k) Cu o furculiță sau o scobitoare, scufundați fiecare bilă de tort în CandiQuik topit, asigurând o acoperire uniformă.
l) Pune bilele de tort acoperite pe o tava tapetata cu pergament.
m) Opțional: Presărați sare grunjoasă deasupra fiecărei bile de tort în timp ce stratul CandiQuik este încă umed pentru o margine sărată inspirată de Margarita.
n) Lăsați stratul CandiQuik să se întărească complet înainte de servire.

38.CandiQuik Eyeball Cake Balls

INGREDIENTE:

- Biluțe de prăjitură (preparate folosind rețeta de prăjitură preferată sau cumpărate din magazin)
- 1 pachet (16 uncii) CandiQuik Candy Coating
- Glazura de gel rosie sau dulceata de zmeura pentru efect de "sânge".
- Chipsuri de ciocolată în miniatură sau ochi de bomboane

INSTRUCȚIUNI:

a) Topiți stratul CandiQuik Candy conform instrucțiunilor de pe ambalaj.
b) Înmuiați fiecare bilă de tort în CandiQuik topit pentru a o acoperi.
c) Puneți două bucăți de ciocolată în miniatură sau ochi de bomboane pe bila de tort acoperită.
d) Folosește glazură de gel roșu sau dulceață de zmeură pentru a crea un efect de „sânge" în jurul ochilor.
e) Lăsați stratul să se întărească înainte de servire.

39.Mușcături de tort cu condimente cu dovleac CandiQuik

INGREDIENTE:

PENTRU MUCĂTURILE DE PRACTIC:

- 1 cutie de amestec de tort cu condimente plus ingredientele enumerate pe cutie
- 1 cană de piure de dovleac conservat
- 1 lingurita de condiment pentru placinta cu dovleac

PENTRU ACOPERIRE:

- 1 pachet CandiQuik (acoperire de bomboane cu aroma de vanilie)

PENTRU GARNIREA (OPTIONAL):

- Scorțișoară măcinată
- Nuci tocate (de exemplu, nuci pecan sau nuci)

INSTRUCȚIUNI:

PENTRU MUCĂTURILE DE PRACTIC:

a) Preîncălziți cuptorul conform instrucțiunilor din amestecul pentru tort. Ungeți și făinați o tavă de copt de 9 x 13 inci.
b) Pregătiți amestecul de tort cu condimente conform instrucțiunilor de pe ambalaj.
c) Adăugați piureul de dovleac conservat și condimentul pentru plăcintă de dovleac în aluatul de tort. Se amestecă până se combină bine.
d) Turnați aluatul în tava pregătită și coaceți conform instrucțiunilor de pe ambalaj. Lăsați tortul să se răcească complet.
e) Odată ce prăjitura s-a răcit, sfărâmă-l în firimituri fine într-un castron mare.

PENTRU MONTARE:

f) Folosește-ți mâinile sau o lingură pentru a amesteca prăjitura mărunțită cu mâinile sau cu o lingură până când capătă o consistență asemănătoare aluatului.
g) Rulați amestecul în bile mici de tort, de aproximativ 1 până la 1,5 inci în diametru și așezați-le pe o tavă tapetată cu pergament.
h) Pune tava la frigider pentru cel putin 1-2 ore pentru a intari bilele de prajitura.

PENTRU ACOPERIRE:

i) Topiți CandiQuik conform instrucțiunilor de pe ambalaj. De obicei, aceasta implică punerea la microunde la intervale de 30 de secunde până când se topește complet.

j) Cu o furculiță sau o scobitoare, scufundați fiecare bilă de tort în CandiQuik topit, asigurând o acoperire uniformă.

k) Puneți din nou bilele de tort acoperite pe tava tapetată cu pergament.

PENTRU GARNIREA (OPTIONAL):

l) În timp ce învelișul CandiQuik este încă umed, presărați scorțișoară măcinată sau nuci măcinate deasupra fiecărei bile de tort pentru un plus de aromă și decor.

m) Lăsați stratul CandiQuik să se întărească complet înainte de servire.

40.Mușcături de napolitană cu ciocolată CandiQuik BaNilla

INGREDIENTE:

- Fursecuri napolitane cu vanilie
- 1 pachet CandiQuik (acoperire de bomboane cu aroma de vanilie)
- Chipsuri de ciocolată neagră sau napolitane de topire de ciocolată neagră (pentru burniță, opțional)
- Stropi sau nuci tocate (optional, pentru decor)

INSTRUCȚIUNI:

a) Tapetați o foaie de copt cu hârtie de copt.
b) Rupeți CandiQuik-ul în bucăți și puneți-l într-un bol termorezistent. Topiți CandiQuik conform instrucțiunilor de pe ambalaj. De obicei, aceasta implică punerea la microunde la intervale de 30 de secunde până când se topește complet.
c) Înmuiați fiecare fursec de napolitană cu vanilie în CandiQuik topit, asigurându-vă că este complet acoperit.
d) Folosiți o furculiță sau un instrument de scufundare pentru a ridica napolitana acoperită din CandiQuik, permițând excesului de acoperire să se scurgă.
e) Puneți napolitana acoperită pe foaia de copt tapetată cu hârtie de copt.
f) Opțional: dacă doriți să adăugați o notă decorativă, stropiți ciocolata neagră topită peste napolitanele acoperite cu CandiQuik, folosind o lingură sau o pungă. De asemenea, puteți presăra stropi sau nuci tăiate peste stratul umed CandiQuik pentru un plus de textură și decor.
g) Lăsați acoperirea CandiQuik (și orice decorațiuni suplimentare) să se întărească și să se stabilească complet.

41. Mușcături de prăjitură cu vin și ciocolată CandiQuik

INGREDIENTE:

PENTRU MUCĂTURILE DE PRACTIC:

- 1 cutie de amestec de tort de ciocolată (plus ingredientele enumerate pe cutie, de exemplu, ouă, ulei, apă)
- 1 cană de vin roșu (folosește un vin cu aromele care îți plac)
- ½ cană CandiQuik (acoperire de bomboane cu aromă de vanilie), topit

PENTRU ACOPERIRE:

- 1 pachet CandiQuik (acoperire de bomboane cu aroma de vanilie)

PENTRU GARNIREA (OPTIONAL):

- Așchii de ciocolată neagră sau pudră de cacao
- Fulgi de sare de mare

INSTRUCȚIUNI:

PENTRU MUCĂTURILE DE PRACTIC:

a) Preîncălziți cuptorul conform instrucțiunilor din amestecul de tort de ciocolată. Ungeți și făinați o tavă de copt de 9 x 13 inci.

b) Pregătiți amestecul de tort de ciocolată conform instrucțiunilor de pe ambalaj, înlocuind apa cu vinul roșu.

c) Turnați aluatul în tava pregătită și coaceți conform instrucțiunilor de pe ambalaj. Lăsați tortul să se răcească complet.

d) Odată ce prăjitura s-a răcit, sfărâmă-l în firimituri fine într-un castron mare.

PENTRU MONTARE:

e) Folosește-ți mâinile sau o lingură pentru a amesteca prăjitura mărunțită cu mâinile sau cu o lingură până când capătă o consistență asemănătoare aluatului.

f) Rulați amestecul în bile mici de tort, de aproximativ 1 până la 1,5 inci în diametru și așezați-le pe o tavă tapetată cu pergament.

g) Pune tava la frigider pentru aproximativ 30 de minute pentru a întări bilele de tort.

PENTRU ACOPERIRE:

h) Topiți CandiQuik conform instrucțiunilor de pe ambalaj. De obicei, aceasta implică punerea la microunde la intervale de 30 de secunde până când se topește complet.

i) Cu o furculiță sau o scobitoare, scufundați fiecare bilă de tort în CandiQuik topit, asigurând o acoperire uniformă.
j) Puneți din nou bilele de tort acoperite pe tava tapetată cu pergament.

PENTRU GARNIREA (OPTIONAL):

k) În timp ce învelișul CandiQuik este încă umed, presărați așchii de ciocolată neagră sau pudră de cacao deasupra fiecărei bile de tort pentru un plus de aromă și decor.
l) Opțional, presărați câțiva fulgi de sare de mare deasupra pentru a spori aroma bogată de ciocolată.
m) Lăsați stratul CandiQuik să se întărească complet înainte de servire.

42.Pot O' Gold Rainbow Cake Bites

INGREDIENTE:

- 1 cutie cu amestecul de prăjitură preferat (plus ingredientele enumerate pe cutie)
- 1 cană de glazură cu cremă de unt
- Acoperire CandiQuik Candy
- Stropi curcubeu
- Monede de ciocolată de aur

INSTRUCȚIUNI:

a) Urmați instrucțiunile de pe cutia de amestec pentru tort pentru a pregăti aluatul de tort. Coaceți tortul într-o tavă dreptunghiulară conform instrucțiunilor de pe ambalaj. Lăsați tortul să se răcească complet.

b) Odată ce prăjitura s-a răcit, sfărâmă-l în firimituri fine într-un castron mare.

c) Amestecați glazura de cremă de unt treptat până când firimiturile de tort se lipesc și formează o consistență asemănătoare aluatului.

d) Luați porții mici din amestec și rulați-le în bile de dimensiuni mici.

e) Topiți stratul CandiQuik Candy conform instrucțiunilor de pe ambalaj.

f) Folosind o furculiță sau o scobitoare, scufundați fiecare bilă de tort în CandiQuik topit pentru a o acoperi complet.

g) Înainte ca stratul să se întărească, presărați stropi de curcubeu deasupra fiecărei bile de tort acoperite.

h) Pune o monedă de ciocolată de aur deasupra fiecărei bile de tort pentru a reprezenta oala cu aur.

i) Lăsați mușcăturile de tort să se aseze pe hârtie de pergament până când stratul se întărește.

j) Odată ce acoperirea este complet întărită, mușcăturile de tort CandiQuik Pot O' Gold Rainbow sunt gata pentru a fi servite!

43.Mușcături de prăjitură cu ghinde CandiQuik

INGREDIENTE:

- Mușcături de prăjitură (preparate folosind rețeta de prăjitură preferată sau cumpărate din magazin)
- 1 pachet (16 uncii) CandiQuik Candy Coating
- Chips de ciocolată sau Hershey's Kisses
- Batoane de covrig

INSTRUCȚIUNI:

a) Topiți stratul CandiQuik Candy conform instrucțiunilor de pe ambalaj.
b) Înmuiați fiecare mușcătură de tort în CandiQuik topit pentru a o acoperi.
c) Puneți un chip de ciocolată sau Hershey's Kiss deasupra capacului de ghindă.
d) Introduceți o bucată mică de baton de covrig în mușcătura de tort ca tulpina de ghindă.
e) Lăsați stratul să se întărească înainte de servire.

44.Mușcături de tort cu dovleac CandiQuik

INGREDIENTE:

PENTRU MUCĂTURILE DE PRACTICĂ DE DOVLEAC:

- 1 cutie de amestec de tort cu condimente plus ingredientele enumerate pe cutie
- 1 cană de piure de dovleac conservat
- 1 lingurita de condiment pentru placinta cu dovleac
- ½ cană CandiQuik (acoperire de bomboane cu aromă de vanilie), topit

PENTRU ACOPERIRE:

- 1 pachet CandiQuik (acoperire de bomboane cu aroma de vanilie)

PENTRU GARNIREA (OPTIONAL):

- Biscuiți graham zdrobiți
- zahăr de scorțișoară
- Nuci tocate (de exemplu, nuci pecan sau nuci)

INSTRUCȚIUNI:

PENTRU MUCĂTURILE DE PRACTICĂ DE DOVLEAC:

a) Preîncălziți cuptorul conform instrucțiunilor din amestecul de tort de condimente. Ungeți și făinați o tavă de copt de 9 x 13 inci.

b) Pregătiți amestecul de tort cu condimente conform instrucțiunilor de pe ambalaj.

c) Adăugați piureul de dovleac conservat și condimentul pentru plăcintă de dovleac în aluatul de tort. Se amestecă până se combină bine.

d) Turnați aluatul în tava pregătită și coaceți conform instrucțiunilor de pe ambalaj. Lăsați tortul să se răcească complet.

e) Odată ce prăjitura s-a răcit, sfărâmă-l în firimituri fine într-un castron mare.

PENTRU MONTARE:

f) Folosește-ți mâinile sau o lingură pentru a amesteca prăjitura mărunțită până când capătă o consistență asemănătoare unui aluat.

g) Rulați amestecul în bile mici de tort, de aproximativ 1 până la 1,5 inci în diametru și așezați-le pe o tavă tapetată cu pergament.

h) Pune tava la frigider pentru aproximativ 30 de minute pentru a întări bilele de tort.

PENTRU ACOPERIRE:

i) Topiți CandiQuik conform instrucțiunilor de pe ambalaj. De obicei, aceasta implică punerea la microunde la intervale de 30 de secunde până când se topește complet.

j) Cu o furculiță sau o scobitoare, scufundați fiecare bilă de tort în CandiQuik topit, asigurând o acoperire uniformă.

k) Puneți din nou bilele de tort acoperite pe tava tapetată cu pergament.

PENTRU GARNIREA (OPTIONAL):

l) În timp ce învelișul CandiQuik este încă umed, presărați biscuiți graham zdrobiți, zahăr cu scorțișoară sau nuci tăiate deasupra fiecărei bile de tort pentru un plus de aromă și decor.

m) Lăsați stratul CandiQuik să se întărească complet înainte de servire.

45.Mușcături de prăjitură de inimă

INGREDIENTE:

- 1 cutie de amestec de tort Red Velvet
- 1 cană de glazură cu cremă de brânză
- Înveliș de ciocolată CandiQuik

INSTRUCȚIUNI:

a) Pregătiți prăjitura de catifea roșie conform instrucțiunilor de pe ambalaj.
b) Lăsați tortul să se răcească, apoi sfărâmă-l și amestecați cu glazura de brânză.
c) Rulați amestecul în bucăți mici de tort în formă de inimă.
d) Topiți stratul de ciocolată CandiQuik și înmuiați fiecare mușcătură de tort până la acoperire.
e) Puneți-le pe o tavă de copt tapetată și lăsați stratul de ciocolată să se întărească.

46.Mușcături de aluat de prăjituri cu năut

INGREDIENTE:

- 1 conserve (15 uncii) de năut, scurs și clătit
- ½ cană de ovăz fără gluten
- ¼ cană unt de migdale
- ¼ cană miere
- 1 lingurita extract de vanilie
- Vârf de cuțit de sare
- 1 pachet (16 uncii) CandiQuik Candy Coating

INSTRUCȚIUNI:

a) Într-un robot de bucătărie, amestecați năutul, ovăzul, untul de migdale, mierea, extractul de vanilie și sarea până când obțineți o consistență asemănătoare aluatului.
b) Formați aluatul în bile mici și puneți-le pe o tavă tapetată cu pergament.
c) Topiți stratul CandiQuik Candy conform instrucțiunilor de pe ambalaj.
d) Înmuiați fiecare mușcătură de aluat de fursecuri în CandiQuik topit pentru a o acoperi.
e) Lăsați stratul să se întărească înainte de servire.

47.CandiQuik Topirea Oameni de Zapada Tort Bile

INGREDIENTE:

- Biluțe de prăjitură (preparate folosind rețeta de prăjitură preferată sau cumpărate din magazin)
- 1 pachet (16 uncii) CandiQuik Candy Coating
- Chipsuri de ciocolată în miniatură sau ochi de bomboane
- Bomboanele de portocale se topesc (sau glazura de portocale) pentru nasurile de morcovi
- Glazura decorativa pentru esarfe si nasturi

INSTRUCȚIUNI:

a) Înmuiați fiecare bilă de tort în stratul CandiQuik topit.
b) Așezați două bucăți de ciocolată în miniatură sau ochi de bomboane pe stratul topit pentru ochi.
c) Utilizați o bucată mică de bomboane de portocale topite sau glazură pentru a crea un nas de morcov.
d) Decorați cu glazură pentru a face eșarfe și nasturi, dând aspectul de oameni de zăpadă care se topesc.
e) Lăsați acoperirea să se stabilească înainte de servire.

48.CandiQuik Cadbury

INGREDIENTE:

PENTRU Umplutura:

- ½ cană unt nesărat, înmuiat
- 2 ½ căni de zahăr pudră
- 1 lingurita extract de vanilie
- Colorant alimentar galben (opțional)

PENTRU ACOPEREA DE CIOOCOLATĂ:

- 1 pachet CandiQuik (acoperire de bomboane cu aroma de vanilie)
- 1 lingura ulei vegetal

INSTRUCȚIUNI:

PENTRU Umplutura:

a) Într-un castron, bateți untul înmuiat până devine cremos.
b) Adăugați treptat zahăr pudră în unt, amestecând bine după fiecare adăugare.
c) Adăugați extract de vanilie și continuați să amestecați până când amestecul formează un aluat neted și flexibil.
d) Dacă doriți, adăugați câteva picături de colorant alimentar galben pentru a obține culoarea clasică a ouălor Cadbury. Se amestecă până când culoarea este distribuită uniform.
e) Împărțiți aluatul în porții mici și modelați fiecare porție într-o formă asemănătoare unui ou. Puneți ouăle modelate pe o tavă tapetată cu pergament.
f) Pune tava la frigider pentru a se raci in timp ce pregatesti invelisul de ciocolata.

PENTRU ACOPEREA DE CIOOCOLATĂ:

g) Rupeți CandiQuik-ul în bucăți și puneți-l într-un bol termorezistent. Adăugați ulei vegetal la CandiQuik.
h) Topiți CandiQuik conform instrucțiunilor de pe ambalaj. De obicei, aceasta implică punerea la microunde la intervale de 30 de secunde până când se topește complet.
i) Scoateți umplutura modelată din frigider.
j) Folosind o furculiță sau un instrument de scufundare a bomboanelor, scufundați fiecare umplutură în CandiQuik topit, asigurându-vă că este acoperit complet.
k) Lăsați excesul de acoperire CandiQuik să se scurgă, apoi puneți ouăle acoperite înapoi pe hârtie de pergament.
l) Odată ce toate ouăle sunt acoperite, puneți tava la frigider pentru a permite stratului de ciocolată să se întărească complet.
m) Odată setate, ouăle tale Cadbury de casă sunt gata pentru a fi savurate!

FRUCTE ACOPERITE

49.Afine cu vanilie CandiQuik

INGREDIENTE:

- Afine proaspete, spălate și uscate
- 1 pachet CandiQuik (acoperire de bomboane cu aroma de vanilie)
- Opțional: stropi albe, nucă de cocos mărunțită sau nuci mărunțite pentru decor

INSTRUCȚIUNI:

a) Tapetați o foaie de copt cu hârtie de copt.
b) Rupeți CandiQuik-ul în bucăți și puneți-l într-un bol termorezistent. Topiți CandiQuik conform instrucțiunilor de pe ambalaj. De obicei, aceasta implică punerea la microunde la intervale de 30 de secunde până când se topește complet.
c) Odată ce CandiQuik este topit, utilizați o scobitoare sau o frigărui pentru a înmuia fiecare afine în stratul topit, asigurând o acoperire uniformă și netedă.
d) Lăsați excesul de acoperire să se scurgă și puneți afinele acoperite pe tava tapetată cu hârtie de copt.
e) Opțional: dacă doriți să adăugați o notă decorativă, presărați stropi albe, nucă de cocos mărunțită sau nuci mărunțite peste stratul umed CandiQuik de pe fiecare afine.
f) Lăsați stratul CandiQuik să se întărească și să se întărească complet.
g) Odată ce afinele cu vanilie sunt complet întărite, le puteți transfera într-un vas de servire sau le puteți păstra într-un recipient ermetic.

50.Căpșuni acoperite cu ciocolată CandiQuik

INGREDIENTE:

- Căpșuni proaspete, spălate și uscate
- 1 pachet CandiQuik (acoperire de bomboane cu aroma de vanilie)
- Opțional: chipsuri de ciocolată albă, chipsuri de ciocolată neagră sau alte toppinguri pentru decor

INSTRUCȚIUNI:

a) Tapetați o foaie de copt cu hârtie de copt.
b) Rupeți CandiQuik-ul în bucăți și puneți-l într-un bol termorezistent. Topiți CandiQuik conform instrucțiunilor de pe ambalaj. De obicei, aceasta implică punerea la microunde la intervale de 30 de secunde până când se topește complet.
c) Țineți fiecare căpșună de tulpină sau folosiți scobitori pentru a înmuia căpșunile în CandiQuik topit, acoperindu-le la aproximativ două treimi din drum.
d) Lăsați excesul de acoperire CandiQuik să se scurgă, apoi puneți căpșunile acoperite cu ciocolată pe tava de copt tapetată cu hârtie de copt.
e) Opțional: În timp ce stratul CandiQuik este încă umed, puteți turna ciocolată albă topită, ciocolată neagră sau alte garnituri peste căpșunile acoperite cu ciocolată pentru un decor suplimentar.
f) Lăsați acoperirea CandiQuik să se întărească complet.
g) Odată setate, căpșunile tale acoperite cu ciocolată sunt gata pentru a fi savurate!

51.Căpșuni roșii, albe și albastre

INGREDIENTE:

- Căpșuni proaspete, spălate și uscate
- 1 pachet CandiQuik (acoperire de bomboane cu aroma de vanilie)
- Bomboanele albastre se topesc
- Bomboanele albe se topesc
- Opțional: stropi roșu, alb și albastru sau sclipici comestibile pentru decor

INSTRUCȚIUNI:

a) Tapetați o foaie de copt cu hârtie de copt.
b) Rupeți CandiQuik-ul în bucăți și puneți-l într-un bol termorezistent. Topiți CandiQuik conform instrucțiunilor de pe ambalaj. De obicei, aceasta implică punerea la microunde la intervale de 30 de secunde până când se topește complet.
c) Împărțiți căpșunile în trei grupuri.
d) Înmuiați un grup de căpșuni în CandiQuik topit până când este complet acoperit. Pune-le pe tava tapetata cu hartie de copt.
e) Înmuiați un alt grup de căpșuni în bomboane topite albastre până când sunt acoperite complet. Așezați-le lângă căpșunile acoperite alb pe tava de copt.
f) Înmuiați grupul rămas de căpșuni în bomboane albe topite până când sunt acoperite complet. Așezați-le lângă căpșunile acoperite cu albastru pe tava de copt.
g) Opțional: în timp ce stratul de bomboane este încă umed, presărați stropi roșu, alb și albastru sau sclipici comestibile deasupra fiecărei căpșuni acoperite pentru o notă festivă.
h) Lăsați stratul de bomboane să se întărească și să se stabilească complet.
i) Odată setate, căpșunile voastre roșii, albe și albastre sunt gata pentru a fi savurate!

52. Mușcături de banane acoperite

INGREDIENTE:

- Banane, decojite și tăiate în bucăți mici
- 1 pachet de acoperire cu vanilie CandiQuik
- Nuci tocate sau nucă de cocos mărunțită (opțional pentru acoperire)

INSTRUCȚIUNI:

a) Topiți stratul de vanilie CandiQuik conform instrucțiunilor de pe ambalaj.
b) Înmuiați fiecare mușcătură de banană în stratul de vanilie topit, acoperind-o complet.
c) Puneți mușcăturile de banane acoperite pe o tavă tapetată cu hârtie de copt.
d) Dacă doriți, rulați mușcăturile de banane acoperite în nuci tocate sau nucă de cocos mărunțită.
e) Lăsați stratul să se stabilească la temperatura camerei sau la frigider.
f) Odată așezat, serviți și bucurați-vă de aceste delicioase mușcături de banane acoperite cu CandiQuik.

53.Felii de mere acoperite CandiQuik

INGREDIENTE:

- Mere, tăiate felii
- 1 pachet de acoperire cu ciocolată CandiQuik
- Nuci zdrobite sau stropi (opţional pentru topping)

INSTRUCŢIUNI:

a) Topiţi stratul de ciocolată CandiQuik conform instrucţiunilor de pe ambalaj.
b) Înmuiaţi fiecare felie de măr în ciocolata topită, asigurându-vă că este complet acoperită.
c) Asezati feliile de mere scufundate pe o tava tapetata cu hartie de copt.
d) Dacă doriţi, presăraţi nuci zdrobite sau stropi colorate deasupra stratului de ciocolată.
e) Lăsaţi ciocolata să se stabilească la temperatura camerei sau la frigider.
f) Odată setat, serviţi şi bucuraţi-vă de aceste felii de mere gustoase acoperite cu CandiQuik.

54.Căpșuni Cinco de Mayo

INGREDIENTE:

- Căpşuni proaspete, spălate şi uscate
- 1 pachet CandiQuik (acoperire de bomboane cu aroma de vanilie)
- Zahăr de culoare verde sau stropi verzi
- Zahăr sau stropi alb sau auriu
- Opţional: coaja de lime pentru garnitură

INSTRUCŢIUNI:

a) Tapetaţi o foaie de copt cu hârtie de copt.

b) Rupeţi CandiQuik-ul în bucăţi şi puneţi-l într-un bol termorezistent. Topiţi CandiQuik conform instrucţiunilor de pe ambalaj. De obicei, aceasta implică punerea la microunde la intervale de 30 de secunde până când se topeşte complet.

c) Ţineţi fiecare căpşună de tulpină sau folosiţi scobitori pentru a înmuia căpşunile în CandiQuik topit, acoperindu-le la aproximativ două treimi din drum.

d) Lăsaţi excesul de acoperire CandiQuik să se scurgă, apoi puneţi căpşunile acoperite pe tava de copt tapetată cu hârtie de pergament.

e) În timp ce învelişul CandiQuik este încă umed, presăraţi zahăr de culoare verde sau stropi verzi pe o treime din căpşunile acoperite. Aceasta reprezintă culoarea verde a drapelului mexican.

f) Se presară zahăr alb sau auriu sau se presară încă o treime din căpşunile acoperite. Aceasta reprezintă culoarea albă a drapelului mexican.

g) Lăsaţi o treime rămasă din căpşunile acoperite fără stropi suplimentare pentru culoarea roşie a drapelului mexican.

h) Opţional: Zestează lime peste căpşuni pentru o explozie de aromă de citrice şi adaugă garnitură.

i) Lăsaţi acoperirea CandiQuik să se întărească complet.

j) Odată setate, căpşunile tale Cinco de Mayo sunt gata pentru a fi savurate!

55.Căpşuni de Moş Crăciun

INGREDIENTE:

- CandiQuik (acoperire cu ciocolata alba)
- Căpşuni proaspete
- Marshmallows în miniatură

INSTRUCŢIUNI:

a) Topiţi ciocolata albă CandiQuik conform instrucţiunilor de pe ambalaj.
b) Înmuiaţi capătul ascuţit al unei căpşuni în CandiQuik topit.
c) Puneţi o marshmallow în miniatură deasupra căpşunilor acoperite pentru a forma pomponul pălăriei de Moş Crăciun.
d) Lăsaţi CandiQuik să se stabilească înainte de servire.

Prăjituri, gogoş i ş i plăcinte

56.Cheesecake cu lămâie și afine CandiQuik

INGREDIENTE:

PENTRU CRASTĂ:

- 1 ½ cană de firimituri de biscuiți Graham
- ¼ cană unt topit
- ¼ cană zahăr granulat

PENTRU Umplutura de cheesecake:

- 3 pachete (8 uncii fiecare) de cremă de brânză, înmuiată
- 1 cană zahăr granulat
- 3 ouă mari
- 1 lingurita extract de vanilie
- Zest de 1 lămâie
- ¼ cană suc proaspăt de lămâie
- 1 cană de afine proaspete

PENTRU GLAZEUL DE LAMAIE CANDIQUIK:

- 1 pachet CandiQuik (acoperire de bomboane cu aroma de vanilie)
- Zest de 1 lămâie
- 2 linguri suc proaspăt de lămâie

INSTRUCȚIUNI:

PENTRU CRASTĂ:

a) Preîncălziți cuptorul la 325°F (163°C). Ungeți o tavă cu arc de 9 inci.
b) Într-un castron, combinați firimiturile de biscuiți Graham, untul topit și zahărul granulat. Apăsați amestecul în fundul tigăii pregătite pentru a forma crusta.
c) Coaceți crusta în cuptorul preîncălzit pentru aproximativ 10 minute. Scoatem din cuptor si lasam sa se raceasca in timp ce pregatiti umplutura.

PENTRU Umplutura de cheesecake:

d) Într-un castron mare, bateți crema de brânză și zahărul granulat până se omogenizează.
e) Adaugam ouale pe rand, batand bine dupa fiecare adaugare.
f) Se amestecă extractul de vanilie, coaja de lămâie și sucul proaspăt de lămâie până se combină bine.
g) Încorporați ușor afinele proaspete.
h) Turnați umplutura de cheesecake peste crusta răcită.

i) Coacem in cuptorul preincalzit pentru aproximativ 50-60 de minute sau pana se fixeaza centrul.
j) Scoateți cheesecake-ul din cuptor și lăsați-l să se răcească la temperatura camerei. Se da la frigider pentru cel putin 4 ore sau peste noapte.

PENTRU GLAZEUL DE LAMAIE CANDIQUIK:

k) Rupeți CandiQuik-ul în bucăți și puneți-l într-un bol termorezistent. Topiți CandiQuik conform instrucțiunilor de pe ambalaj.
l) Se amestecă coaja de lămâie și sucul proaspăt de lămâie în CandiQuik topit până se combină bine.
m) Turnați glazura de lămâie CandiQuik peste cheesecake-ul răcit, răspândindu-l uniform.
n) Puneți cheesecake-ul la frigider pentru ca glazura să se întărească.
o) Odată ce glazura este întărită, scoateți cheesecake-ul din tava cu arc, feliați și serviți.

57.Cheesecake cu dovleac CandiQuik

INGREDIENTE:

- Batoane sau pătrate de cheesecake cu dovleac (preparate folosind rețeta preferată sau cumpărate din magazin)
- 1 pachet (16 uncii) CandiQuik Candy Coating
- Biscuiți graham zdrobiți pentru acoperire (opțional)

INSTRUCȚIUNI:

a) Tăiați cheesecake-ul cu dovleac în pătrate de mărimea unei mușcături.
b) Topiți stratul CandiQuik Candy conform instrucțiunilor de pe ambalaj.
c) Înmuiați fiecare pătrat de cheesecake în CandiQuik topit pentru a-l acoperi.
d) Dacă doriți, rulați pătratul acoperit în biscuiți graham zdrobiți pentru un plus de aromă și textură.
e) Lăsați stratul să se întărească înainte de servire.

58.CandiQuik Shark Fin

INGREDIENTE:

PENTRU ARIPOARELE DE RECHIN:

- 1 pachet CandiQuik (acoperire de bomboane cu aroma de vanilie)
- Colorant alimentar albastru
- Fondant alb sau bomboane albe topite (pentru aripioare de rechin)

PENTRU CUPCAKES (OPȚIONAL):

- Rețeta ta preferată de cupcakes sau cupcakes cumpărați din magazin
- Glazura albastra

INSTRUCȚIUNI:

PENTRU ARIPOARELE DE RECHIN:

a) Rupeți CandiQuik-ul în bucăți și puneți-l într-un bol termorezistent. Topiți CandiQuik conform instrucțiunilor de pe ambalaj. De obicei, aceasta implică punerea la microunde la intervale de 30 de secunde până când se topește complet.

b) Adăugați câteva picături de colorant alimentar albastru la CandiQuik topit și amestecați până obțineți nuanța de albastru dorită pentru ocean.

c) Întindeți fondant alb sau topiți bomboane albe conform instrucțiunilor de pe ambalaj.

d) Folosind un tăietor de prăjituri în formă de aripioare de rechin sau un șablon, tăiați aripioarele de rechin din fondantul alb sau din bomboane albe topite.

e) Înmuiați fiecare înotătoare de rechin în stratul albastru CandiQuik, asigurând o acoperire uniformă și netedă.

f) Puneți aripioarele de rechin acoperite pe o tavă tapetată cu pergament și lăsați-le să se întărească complet.

PENTRU CUPCAKES (OPȚIONAL):

g) Coaceți rețeta preferată de cupcakes sau folosiți cupcakes cumpărați din magazin.

h) Odată ce cupcakes s-au răcit, înghețați-le cu glazură albastră pentru a reprezenta oceanul.

ASAMBLARE:

i) Odată ce aripioarele de rechin sunt complet întărite, introduceți-le ușor în partea de sus a fiecărei cupcakes, creând o înotătoare de rechin care iese din „ocean".

j) Dacă doriți, puteți adăuga decorațiuni suplimentare, cum ar fi stropi în formă de pește sau stropiți albastru pentru a îmbunătăți tema subacvatică.
k) Aranjați cupcakes pe un platou de servire și bucurați-vă de adorabilele voastre cupcakes Shark Fin!

59.CandiQuik gogoși cu lămâie și migdale

INGREDIENTE:

PENTRU gogoşi:

- 2 căni de făină universală
- 1 cană zahăr granulat
- 1 ½ linguriță de praf de copt
- ½ lingurita de bicarbonat de sodiu
- ¼ lingurita sare
- ½ cană unt nesărat, topit
- 2 ouă mari
- 1 cană de zară
- 1 lingurita extract de vanilie
- Coaja a 2 lămâi
- ½ cana migdale tocate (pentru topping)

PENTRU GLAZEUL CANDIQUIK LĂMĂIĂ CU MIGUDALE:

- 1 pachet CandiQuik (acoperire de bomboane cu aroma de vanilie)
- Suc de 2 lămâi
- 1 cană de zahăr pudră
- ¼ cana migdale tocate (pentru topping)

INSTRUCȚIUNI:

PENTRU gogoşi:

a) Preîncălziți cuptorul la 350°F (175°C). Unge o tavă pentru gogoși.
b) Într-un castron mare, amestecați făina, zahărul, praful de copt, bicarbonatul de sodiu și sarea.
c) Într-un castron separat, amestecați untul topit, ouăle, zara, extractul de vanilie și coaja de lămâie.
d) Adăugați ingredientele umede la ingredientele uscate, amestecând până când se combină. Nu amestecați în exces.
e) Turnați aluatul în tava pentru gogoși pregătită, umplând fiecare formă cu aproximativ ⅔.
f) Coacem in cuptorul preincalzit 12-15 minute sau pana cand o scobitoare introdusa intr-o gogoasa iese curata.
g) Lasă gogoșile să se răcească în tavă câteva minute înainte de a le transfera pe un grătar pentru a se răci complet.

PENTRU GLAZEUL CANDIQUIK LĂMĂIĂ CU MIGUDALE:

h) Topiți CandiQuik conform instrucțiunilor de pe ambalaj. De obicei, aceasta implică punerea la microunde la intervale de 30 de secunde până când se topește complet.
i) Într-un castron, combinați CandiQuik topit cu sucul de lămâie și zahărul pudră. Se amestecă până se omogenizează și se combină bine.
j) Înmuiați fiecare gogoașă răcită în glazura de migdale cu lămâie CandiQuik, asigurând o acoperire uniformă.
k) Presărați migdale tăiate deasupra gogoșilor glazurate pentru un plus de savoare și textură.
l) Lăsați glazura să se întărească înainte de servire.

60.Plăcintă cu înghețată CandiQuik

INGREDIENTE:

PENTRU CRASTĂ:

- 2 căni de firimituri de biscuiți Graham
- ½ cană unt nesărat, topit
- ¼ cană zahăr granulat

PENTRU Umplutura:

- 1 pachet CandiQuik (acoperire de bomboane cu aroma de vanilie)
- 1 litru (aproximativ 4 căni) din aromele tale preferate de înghețată

PENTRU TOPPING (OPȚIONAL):

- Frisca
- Sos de ciocolata
- Nuci tocate
- Stropi
- cireșe maraschino

INSTRUCȚIUNI:

PENTRU CRASTĂ:

a) Într-un castron, combinați firimiturile de biscuit Graham, untul topit și zahărul granulat. Se amestecă până când firimiturile sunt acoperite uniform.

b) Apăsați amestecul în fundul și în sus părțile laterale ale unui vas de plăcintă pentru a forma crusta.

c) Pune crusta la frigider pentru a se raci in timp ce pregatesti umplutura.

PENTRU Umplutura:

d) Topiți CandiQuik conform instrucțiunilor de pe ambalaj. De obicei, aceasta implică punerea la microunde la intervale de 30 de secunde până când se topește complet.

e) Lăsați CandiQuik topit să se răcească ușor.

f) Turnați înghețata înmuiată în crusta de biscuiți Graham, răspândind-o uniform.

g) Turnați CandiQuik topit peste înghețată, creând o acoperire netedă și lucioasă.

h) Puneți plăcinta la congelator și lăsați-o să se întărească cel puțin 2-3 ore sau până când CandiQuik se întărește.

PENTRU TOPPING (OPȚIONAL):

i) Înainte de servire, adăugați toppingurile preferate, cum ar fi frișcă, sos de ciocolată, nuci tocate, stropi și cireșe maraschino.

j) Tăiați și serviți plăcinta cu înghețată CandiQuik rece.

61.Tort gogoși cu ciocolată și nucă de cocos prăjită

INGREDIENTE:

- 2 căni de făină universală
- ¾ cană zahăr
- 2 lingurite praf de copt
- ½ lingurita sare
- ¾ cană lapte de unt
- 1 lingurita extract de vanilie
- 1 lingurita pasta de vanilie (sau seminte dintr-o boaba de vanilie)
- 2 oua
- 2 linguri de unt, topit
- Înveliș CandiQuik de ciocolată de 8 uncii
- ½ cană nucă de cocos prăjită

INSTRUCȚIUNI:

a) Preîncălziți cuptorul la 350°F. Pulverizați tava pentru gogoși cu spray de gătit antiaderent.
b) Într-un castron mare, amestecați făina, zahărul, praful de copt și sarea.
c) Adăugați zara, ouăle, vanilia și untul și bateți până se omogenizează.
d) Puneți aluatul într-o pungă (sau o pungă de plastic cu un colț tăiat); introduceți într-o tavă pentru gogoși, umplând fiecare liniuță pentru gogoși aproximativ ¾.
e) Coaceți timp de 10-12 minute sau până când partea superioară se întoarce înapoi dacă este atinsă. Lasa sa se raceasca.
f) Topiți ciocolata CandiQuik în tava pentru microunde conform instrucțiunilor de pe ambalaj.
g) Înmuiați vârful gogoșilor în stratul de ciocolată și stropiți cu nucă de cocos prăjită. Serviți imediat.

POPS

62.Pops de cereale cu banane

INGREDIENTE:

- 1 pachet (16 uncii) de acoperire cu vanilie CandiQuik
- 4-5 căni de cereale căpșuni-fulgi de porumb, zdrobite
- 6 banane
- Bețișoare/frigărui de popsicle

INSTRUCȚIUNI:

a) Curățați și tăiați bananele în bucăți de 4-5 inchi.
b) Apăsați fiecare bucată de banană pe un bețișor de popsicle și puneți-o la congelator timp de 15-20 de minute.
c) Topiți CandiQuik de vanilie în tava de topire și pregătiți pentru microunde conform instrucțiunilor de pe ambalaj.
d) Ținând ciocul de banană, scufundați-l direct în tava de Vanilla CandiQuik și folosiți o lingură pentru a acoperi complet banana.
e) Rulați imediat banana pop în cerealele zdrobite. Așezați pe hârtie ceară.

63.CandiQuik Truffula Tree Cake Pops

INGREDIENTE:

PENTRU CAKE POPS:

- 1 cutie cu amestecul de prăjitură preferat (plus ingredientele enumerate pe cutie, de exemplu, ouă, ulei, apă)
- ½ cană de glazură cu cremă de unt (cumpărată din magazin sau de casă)
- Bețișoare de acadele

PENTRU ACOPERIRE:

- 1 pachet CandiQuik (acoperire de bomboane cu aroma de vanilie)
- Colorant alimentar vibrant asortat (pentru culorile arborelui Truffula)
- Zaharuri sau stropi colorate comestibile (pentru vârfurile copacilor)

INSTRUCȚIUNI:

PENTRU CAKE POPS:

a) Preîncălziți cuptorul conform instrucțiunilor din amestecul pentru tort. Unge și făină o tavă de tort.

b) Pregătiți amestecul de prăjitură conform instrucțiunilor de pe ambalaj.

c) Coaceți tortul conform instrucțiunilor și lăsați-l să se răcească complet.

d) Odată ce prăjitura s-a răcit, sfărâmă-l în firimituri fine într-un castron mare.

e) Adăugați glazura de cremă de unt pe firimiturile de tort și amestecați până se omogenizează bine. Amestecul trebuie să aibă o consistență asemănătoare aluatului.

f) Formați amestecul în bile mici de mărimea unui tort și puneți-le pe o tavă tapetată cu pergament.

g) Introduceți bețișoare de acadele în fiecare bilă de tort pentru a crea cake pops.

PENTRU ACOPERIRE:

h) Rupeți CandiQuik-ul în bucăți și puneți-l într-un bol termorezistent. Topiți CandiQuik conform instrucțiunilor de pe ambalaj. De obicei, aceasta implică punerea la microunde la intervale de 30 de secunde până când se topește complet.

i) Împărțiți CandiQuik topit în boluri mai mici și adăugați coloranți alimentari vibranti în fiecare bol pentru a reprezenta diferitele culori ale copacilor Truffula.
j) Înmuiați fiecare prajitură în CandiQuik colorat, asigurând o acoperire uniformă.
k) Înainte de a se întări acoperirea, presărați zaharuri colorate comestibile sau stropiți pe partea de sus a fiecărei prăjituri pentru a semăna cu vârful tufted al unui copac Truffula.
l) Lăsați stratul CandiQuik să se întărească complet înainte de servire.

64.CandiQuik Turkey Rice Krispie Pops

INGREDIENTE:

PENTRU BUCĂTĂRILE KRISPIE DE OREZ:

- 6 căni de cereale Rice Krispies
- 4 cani de mini marshmallows
- 3 linguri de unt nesarat
- Colorant alimentar portocaliu și galben (gel sau lichid)

PENTRU DECORARE:

- 1 pachet CandiQuik (acoperire de bomboane cu aroma de vanilie)
- Ochi de bomboane
- Porumb de bomboane
- Piele cu fructe roșii sau șireturi de lemn dulce (pentru vată)

INSTRUCȚIUNI:

PENTRU BUCĂTĂRILE KRISPIE DE OREZ:

a) Într-o cratiță mare, topește untul la foc mic.

b) Adăugați mini marshmallows la untul topit și amestecați până se topesc complet și se omogenizează.

c) Scoateți cratita de pe foc și adăugați câteva picături de colorant alimentar portocaliu și galben pentru a obține o culoare de pene de curcan. Se amestecă până se combină bine.

d) Încorporați rapid cerealele Rice Krispies până când sunt acoperite uniform cu amestecul de marshmallow.

e) Presă amestecul colorat de Rice Krispie într-o tavă unsă de 9 x 13 inci. Lăsați-l să se răcească și să se stabilească.

f) Odată ce dulceața cu Rice Krispie s-a răcit complet, folosiți un tăietor de prăjituri în formă de curcan sau tăiați forme de curcan cu un cuțit.

PENTRU DECORARE:

g) Topiți CandiQuik conform instrucțiunilor de pe ambalaj. De obicei, aceasta implică punerea la microunde la intervale de 30 de secunde până când se topește complet.

h) Înmuiați partea superioară a fiecărui tratament Rice Krispie în formă de curcan în CandiQuik topit, lăsând orice exces să se scurgă.

i) Puneți ochi de bomboane pe porțiunea topită acoperită cu CandiQuik din fiecare curcan.

j) Atașați porumbul de bomboane în partea inferioară a curcanului pentru a reprezenta pene.
k) Tăiați bucăți mici de piele cu fructe roșii sau șireturi din lemn dulce și atașați-le sub porumbul de bomboane ca stropi curcanului.
l) Lăsați acoperirea CandiQuik să se întărească complet înainte de servire.

65.CandiQuik S'more Pops

INGREDIENTE:

- Bezele
- Biscuiți Graham, zdrobiți
- 1 pachet CandiQuik (acoperire de bomboane cu aroma de vanilie)
- Bețișoare de acadele
- Mini chipsuri de ciocolată sau bucăți de ciocolată
- Opțional: nuci zdrobite sau stropi pentru acoperire

INSTRUCȚIUNI:

a) Tapetați o foaie de copt cu hârtie de copt.
b) Introduceți bețișoare de acadele în bezele, asigurându-vă că sunt sigure, dar nu trec prin ele.
c) Rupeți CandiQuik-ul în bucăți și puneți-l într-un bol termorezistent. Topiți CandiQuik conform instrucțiunilor de pe ambalaj. De obicei, aceasta implică punerea la microunde la intervale de 30 de secunde până când se topește complet.
d) Înmuiați fiecare marshmallow în CandiQuik topit, asigurându-vă că este acoperit uniform.
e) Lăsați excesul de acoperire să se scurgă, apoi rulați marshmallow-ul acoperit în biscuiți graham zdrobiți. Apăsați biscuiții Graham pe marshmallow pentru a adera.
f) Puneți marshmallow-ul acoperit pe foaia de copt pregătită.
g) Înainte de setul de acoperire CandiQuik, apăsați mini bucăți de ciocolată sau bucăți de ciocolată în acoperire pentru a reprezenta stratul de ciocolată al unui s'more.
h) Opțional: dacă doriți, presărați nuci zdrobite sau stropi colorate peste stratul umed CandiQuik pentru un plus de textură și decor.
i) Lăsați acoperirea CandiQuik să se întărească complet.
j) Odată setat, CandiQuik S'more Pops sunt gata pentru a fi savurate!

66.CandiQuik Grape Poppers

INGREDIENTE:

- Struguri roșii sau verzi fără semințe
- 1 pachet CandiQuik (acoperire de bomboane cu aroma de vanilie)
- Frigarui sau scobitori de lemn
- Opțional: stropi colorate sau sclipici comestibile pentru decor

INSTRUCȚIUNI:

a) Spălați și uscați bine strugurii. Asigurați-vă că sunt complet uscate pentru a ajuta stratul CandiQuik să adere.
b) Tapetați o foaie de copt cu hârtie de copt.
c) Rupeți CandiQuik-ul în bucăți și puneți-l într-un bol termorezistent. Topiți CandiQuik conform instrucțiunilor de pe ambalaj. De obicei, aceasta implică punerea la microunde la intervale de 30 de secunde până când se topește complet.
d) Frigarui fiecare struguri cu o frigarui de lemn sau o scobitoare, lasand suficient spatiu pentru a tine frigaruia.
e) Înmuiați fiecare strugure în CandiQuik topit, asigurându-vă că este complet acoperit. Puteți folosi o lingură pentru a acoperi uniform strugurii.
f) Lăsați excesul de acoperire CandiQuik să se scurgă și puneți strugurii acoperiți pe foaia de copt tapetată cu hârtie de pergament.
g) Opțional: în timp ce stratul CandiQuik este încă umed, presărați stropi colorate sau sclipici comestibile deasupra pentru o notă decorativă.
h) Repetați procesul până când toți strugurii sunt acoperiți și decorați.
i) Lăsați stratul CandiQuik să se întărească complet înainte de servire.
j) Servește-ți Grape Poppers pe un platou sau într-un recipient decorativ.

67.CandiQuik Magic Rainbow Krispie Pops

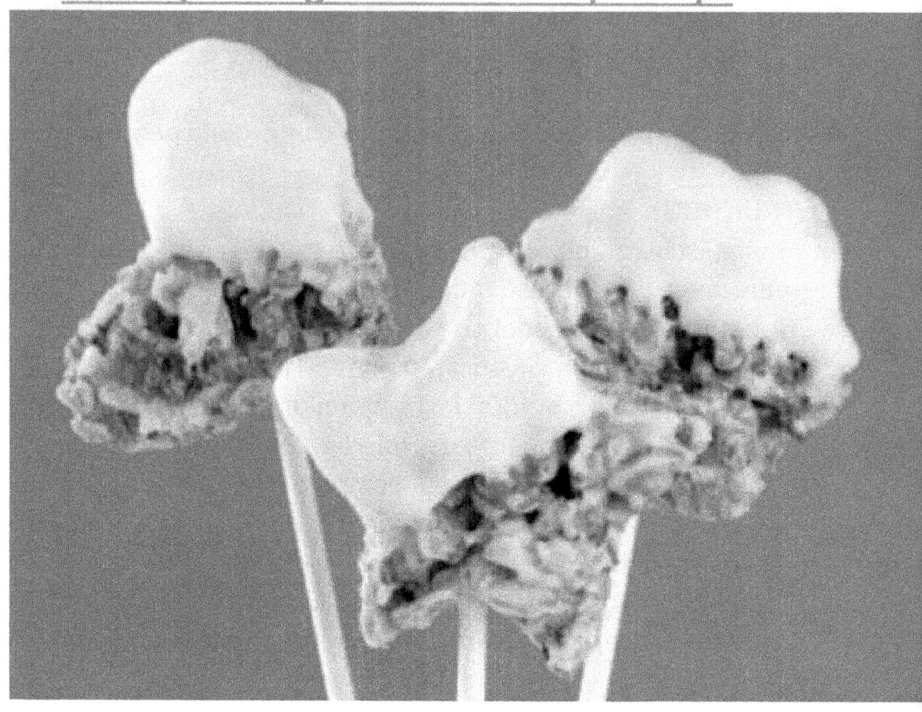

INGREDIENTE:

- 6 căni de cereale crocante de orez
- ¼ cană unt nesărat
- 1 pachet (10 uncii) mini marshmallows
- 1 lingurita extract de vanilie
- Colorant alimentar curcubeu (roșu, portocaliu, galben, verde, albastru, violet)
- Bețișoare de acadele
- 1 pachet CandiQuik (acoperire de bomboane cu aroma de vanilie)
- Sclipici comestibile sau stropi colorate (opțional)

INSTRUCȚIUNI:

PENTRU TRATĂȚELE MAGIC RAINBOW KRISPIE:

a) Într-o cratiță mare, topește untul nesarat la foc mic.
b) Adăugați mini marshmallows la untul topit și amestecați până se topesc complet și se omogenizează.
c) Scoateți cratita de pe foc și adăugați extractul de vanilie.
d) Împărțiți cerealele crocante de orez în șase boluri separate.
e) Adăugați câteva picături de colorant alimentar de diferite culori în fiecare bol pentru a crea un spectru curcubeu (roșu, portocaliu, galben, verde, albastru, violet). Se amestecă până când culoarea este distribuită uniform.
f) Adăugați amestecul de marshmallow topit în fiecare bol, câte o culoare, și amestecați pentru a acoperi cerealele complet în fiecare culoare.
g) Așezați diferitele amestecuri colorate într-o tavă de copt unsă de 9 x 13 inci, apăsând fiecare strat ferm.
h) Lăsați dulceața crocantă curcubeu să se răcească și să se întărească complet.
i) Odată așezat, tăiați dulceața în pătrate sau folosiți un tăietor de prăjituri în formă de curcubeu pentru a crea forme de curcubeu.

PENTRU CURCUBEUL MAGIC KRISPIE POPS:

j) Introduceți bețișoare de acadele în fiecare deliciu crocant pentru curcubeu pentru a crea pop-uri.
k) Rupeți CandiQuik-ul în bucăți și puneți-l într-un bol termorezistent. Topiți CandiQuik conform instrucțiunilor de pe ambalaj. De obicei,

aceasta implică punerea la microunde la intervale de 30 de secunde până când se topește complet.

l) Înmuiați fiecare pop crocant curcubeu în CandiQuik topit, asigurând o acoperire uniformă.
m) Opțional: în timp ce stratul CandiQuik este încă umed, presărați sclipici comestibile sau stropi colorate deasupra pentru o atingere magică.
n) Puneți popsurile crocante curcubeu acoperite pe o tavă tapetată cu pergament.
o) Lăsați stratul CandiQuik să se întărească complet înainte de servire.

68.CandiQuik cu chipsuri de ciocolata

INGREDIENTE:

- Aluat de fursecuri cu ciocolată (de casă sau cumpărat din magazin)
- 1 pachet CandiQuik (acoperire de bomboane cu aroma de vanilie)
- Bețișoare de acadele sau bețișoare de biscuiți

INSTRUCȚIUNI:

a) Preîncălziți cuptorul conform rețetei de aluat de prăjituri cu ciocolată sau a instrucțiunilor de pe ambalaj.
b) Pregătiți aluatul de biscuiți cu ciocolată conform rețetei sau instrucțiunilor de pe ambalaj.
c) Scoateți sau rulați aluatul de fursecuri în bile mici, de dimensiuni egale.
d) Introduceți un bețișor de acadele sau un bețișor de biscuiți în fiecare bilă de aluat de prăjituri, asigurându-vă că este bine în poziție.
e) Puneți aluatul de prăjituri pe o foaie de copt tapetată cu pergament, lăsând puțin spațiu între fiecare.
f) Coaceți popsurile de aluat de prăjituri conform rețetei de aluat de prăjituri cu ciocolată sau instrucțiunilor de pe ambalaj. Lăsați-le să se răcească complet.
g) Rupeți CandiQuik-ul în bucăți și puneți-l într-un bol termorezistent. Topiți CandiQuik conform instrucțiunilor de pe ambalaj. De obicei, aceasta implică punerea la microunde la intervale de 30 de secunde până când se topește complet.
h) Înmuiați fiecare biscuit răcit în CandiQuik topit, asigurându-vă că este complet acoperit.
i) Lăsați excesul de acoperire CandiQuik să se scurgă, apoi puneți biscuiții acoperiți pe o tavă tapetată cu pergament.
j) Lăsați acoperirea CandiQuik să se întărească complet.
k) Odată setate, acadelele tale cu prăjituri cu ciocolată sunt gata pentru a fi savurate!

69.Biscuiți de curcan CandiQuik

INGREDIENTE:

- Fursecuri rotunde de zahăr
- 1 pachet (16 uncii) CandiQuik Candy Coating
- Ochi de bomboane
- Porumb de bomboane
- Dantela rosie de lemn dulce pentru vaci

INSTRUCȚIUNI:

a) Topiți stratul CandiQuik Candy conform instrucțiunilor de pe ambalaj.
b) Înmuiați fiecare prăjitură cu zahăr în CandiQuik topit pentru a-l acoperi.
c) Puneți doi ochi de bomboane pe prăjitura acoperită.
d) Atașați porumb de bomboane sub ochi pentru a crea ciocul de curcan.
e) Adăugați o bucată mică de dantelă roșie de lemn dulce pentru vaci.
f) Lăsați stratul să se întărească înainte de servire.

70.Acadele biscuite cu mentă CandiQuik

INGREDIENTE:

- Fursecuri cu aromă de mentă
- 1 pachet (16 uncii) CandiQuik Candy Coating
- Bomboane de mentă zdrobite sau bastoane de bomboane pentru decor
- Bețișoare de acadele

INSTRUCȚIUNI:

a) Pregătește-ți prăjiturile cu aromă de mentă. Dacă le faci de la zero, asigură-te că sunt complet răcite înainte de a continua.
b) Topiți stratul CandiQuik Candy conform instrucțiunilor de pe ambalaj. Puteți folosi un vas pentru cuptorul cu microunde sau un boiler dublu pentru topire.
c) Introduceți bețișoare de acadele în centrul fiecărui prăjitură cu mentă, asigurându-vă că sunt în siguranță.
d) Înmuiați fiecare prăjitură în CandiQuik topit, asigurându-vă că întregul fursec este acoperit.
e) Lăsați excesul de acoperire să se scurgă, apoi puneți biscuiții pe o tavă tapetată cu pergament.
f) În timp ce stratul este încă umed, presară deasupra bomboane de mentă zdrobite sau bucăți de trestie de bomboane pentru o notă festivă.
g) Lăsați acoperirea CandiQuik să fie complet fixată. Puteți accelera procesul punând tava la frigider.
h) Odată setate, aceste acadele biscuite cu mentă sunt gata să fie servite.
i) Aranjați-le într-o vază sau într-un recipient decorativ pentru o expoziție festivă.
j) Servește și bucură-te de aceste delicioase acadele de biscuiți cu mentă CandiQuik în timpul sărbătorilor sau cu orice ocazie specială!

71.CandiQuik Mummy Cookie Pops

INGREDIENTE:

- Fursecuri cu zahăr (preparate folosind rețeta ta preferată sau cumpărate din magazin)
- 1 pachet (16 uncii) CandiQuik Candy Coating
- Ochi de bomboane

INSTRUCȚIUNI:

a) Topiți stratul CandiQuik Candy conform instrucțiunilor de pe ambalaj.
b) Înmuiați fiecare prăjitură în CandiQuik topit pentru a-l acoperi.
c) Lăsați excesul de acoperire să se scurgă, apoi puneți fursecurile acoperite pe o tavă tapetată cu pergament.
d) Utilizați CandiQuik topit suplimentar pentru a crea bandaje de mumie pe fiecare prăjitură.
e) Puneți ochi de bomboane pe porțiunea acoperită.
f) Lăsați stratul să se întărească înainte de servire.

72.Acadele de inimă

INGREDIENTE:

- Acoperire cu vanilie CandiQuik
- Bețișoare de acadele
- Colorant alimentar (optional)

INSTRUCȚIUNI:

a) Topiți stratul de vanilie CandiQuik conform instrucțiunilor de pe ambalaj.
b) Dacă doriți, adăugați colorant alimentar pentru a obține culoarea dorită.
c) Turnați învelișul topit în forme în formă de inimă.
d) Puneți un băț de acadele în fiecare matriță, asigurându-vă că este complet acoperit cu stratul.
e) Lăsați acadelele să se stabilească în frigider sau la temperatura camerei.

73.Cake Pops cu tort cu căpșuni

INGREDIENTE:

PENTRU TORTUL DE CAPSUNI:

- 1 cutie de amestec de tort cu capsuni (plus ingredientele enumerate pe cutie)

PENTRU Umplutura de tortă scurtă cu căpșuni:

- 1 cană de căpșuni proaspete tăiate cubulețe
- 2 linguri de zahar

PENTRU MONTAJUL CAKE POP :

- 1 pachet CandiQuik (acoperire de bomboane cu aroma de vanilie)
- Bețișoare de acadele sau bețișoare de prăjitură
- Chipsuri de ciocolată albă sau bomboane albe topite (pentru decor)
- Stropi sau decorațiuni comestibile (opțional)

INSTRUCȚIUNI:

PENTRU TORTUL DE CAPSUNI:

a) Preîncălziți cuptorul conform instrucțiunilor din amestecul de prăjituri cu căpșuni.
b) Pregătiți aluatul de prăjitură cu căpșuni conform instrucțiunilor de pe cutie.
c) Coaceți tortul conform instrucțiunilor și lăsați-l să se răcească complet.

PENTRU Umplutura de tortă scurtă cu căpșuni:

d) Intr-un castron amestecam capsunile taiate cubulete cu zaharul. Lăsați-le să stea aproximativ 10 minute să macereze și să-și elibereze sucurile.
e) Strecurați căpșunile pentru a elimina excesul de lichid, lăsându-vă cu bucăți de căpșuni îndulcite.

PENTRU MONTAJUL CAKE POP :

f) Într-un castron mare, sfărâmă tortul de căpșuni răcit în firimituri fine.
g) Adăugați bucățile de căpșuni îndulcite la firimiturile de tort și amestecați până se omogenizează bine.
h) Rulați amestecul de tort în bile mici de tort și așezați-le pe o tavă tapetată cu pergament.

i) Rupeți CandiQuik-ul în bucăți și puneți-l într-un bol termorezistent. Topiți CandiQuik conform instrucțiunilor de pe ambalaj.
j) Înmuiați vârful fiecărui baton de acadele în CandiQuik topit și introduceți-l într-o bilă de tort, cam la jumătatea drumului. Acest lucru ajută bastonul să rămână pe loc.
k) Înmuiați fiecare prăjitură în CandiQuik topit, asigurându-vă că este complet acoperit.
l) Lăsați excesul de acoperire CandiQuik să se scurgă, apoi puneți cake pops pe tava tapetată cu hârtie de pergament.
m) Opțional: în timp ce învelișul CandiQuik este încă umed, decorați cake pop-urile cu fulgi de ciocolată albă sau bomboane albe topite pentru a semăna cu frișca. Adăugați stropi sau decorațiuni comestibile dacă doriți.
n) Lăsați acoperirea CandiQuik să se întărească complet.
o) Odată setat, cake Pops-urile tale Strawberry Shortcake sunt gata pentru a fi savurate!

74.CandiQuik Key Lime Cake Pops

INGREDIENTE:

- Cake pops cu lime cheie (preparate folosind rețeta ta preferată sau cumpărate din magazin)
- 1 pachet (16 uncii) CandiQuik Candy Coating
- Colorant alimentar verde (optional)

INSTRUCȚIUNI:

a) Topiți stratul CandiQuik Candy conform instrucțiunilor de pe ambalaj.
b) Înmuiați fiecare prajitură în CandiQuik topit pentru a o acoperi.
c) Dacă doriți, adăugați câteva picături de colorant alimentar verde pe stratul topit pentru o culoare cheie de var.
d) Lăsați stratul să se întărească înainte de servire.

covrigi

75.Covrigei de cactus CandiQuik

INGREDIENTE:

- Tijele de covrig
- 1 pachet CandiQuik (acoperire de bomboane cu aroma de vanilie)
- Colorant alimentar verde
- Stropi asortate sau decorațiuni de bomboane
- Hârtie pergament

INSTRUCȚIUNI:

a) Tapetați o tavă sau o foaie de copt cu hârtie de copt.
b) Rupeți CandiQuik-ul în bucăți și puneți-l într-un bol termorezistent. Topiți CandiQuik conform instrucțiunilor de pe ambalaj. De obicei, aceasta implică punerea la microunde la intervale de 30 de secunde până când se topește complet.
c) Adăugați colorant alimentar verde la CandiQuik topit, amestecând până obțineți o culoare verde vibrantă.
d) Înmuiați fiecare tijă de covrig în CandiQuik verde topit, asigurându-vă că este complet acoperit. Folosiți o lingură pentru a ajuta la acoperire dacă este necesar.
e) Lăsați excesul de acoperire CandiQuik să se scurgă, apoi puneți tijele de covrig acoperite pe hârtie de pergament.
f) În timp ce învelișul CandiQuik este încă umed, decorați covrigii de cactus cu stropi asortate sau decorațiuni de bomboane pentru a semăna cu vârfurile unui cactus. Fii creativ și distrează-te cu decorațiunile!
g) Lăsați acoperirea CandiQuik să se întărească complet.
h) Odată așezați, covrigii dvs. de cactus sunt gata să fie savurați!

76.Covrigei fantomă CandiQuik

INGREDIENTE:

- Tijele de covrig
- 1 pachet (16 uncii) CandiQuik Candy Coating
- Mini chipsuri de ciocolată sau ochi de bomboane

INSTRUCȚIUNI:

a) Topiți stratul CandiQuik Candy conform instrucțiunilor de pe ambalaj.
b) Înmuiați fiecare tijă de covrig în CandiQuik topit, acoperindu-l complet.
c) Așezați două mini chipsuri de ciocolată sau ochi de bomboane pe partea acoperită pentru a crea ochii fantomei.
d) Lăsați stratul să se întărească înainte de servire.

77.CandiQuik Fluture

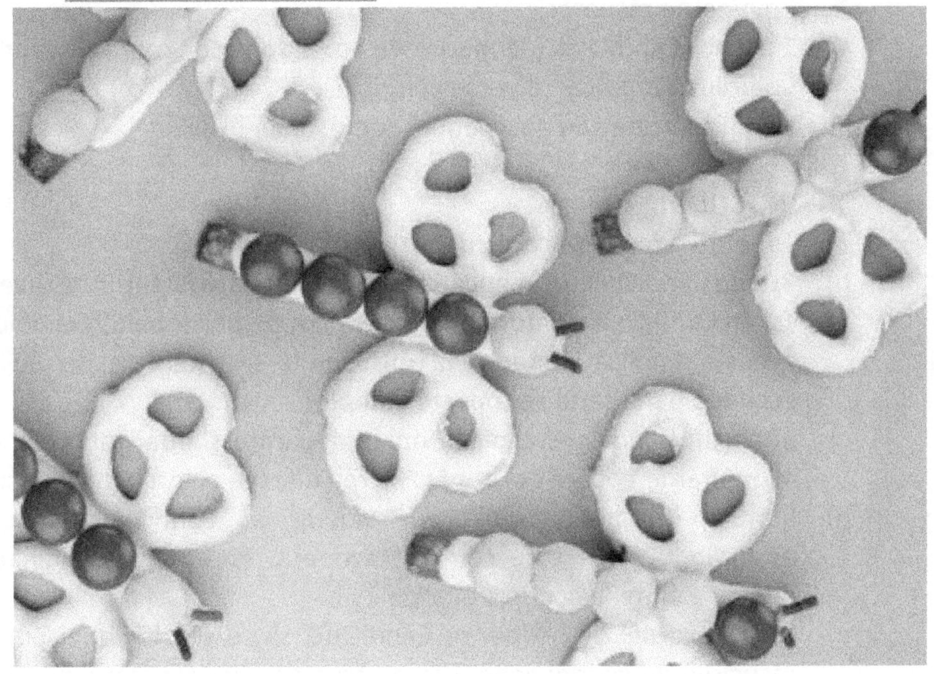

INGREDIENTE:

- Covrigei se răsucesc
- 1 pachet CandiQuik (acoperire de bomboane cu aroma de vanilie)
- Colorant alimentar (diverse culori)
- Stropi asortate sau decoratiuni comestibile

INSTRUCȚIUNI:

a) Tapetați o foaie de copt cu hârtie de copt.
b) Rupeți CandiQuik-ul în bucăți și puneți-l într-un bol termorezistent. Topiți CandiQuik conform instrucțiunilor de pe ambalaj. De obicei, aceasta implică punerea la microunde la intervale de 30 de secunde până când se topește complet.
c) Împărțiți CandiQuik topit în boluri separate și adăugați colorant alimentar în fiecare bol pentru a crea diferite culori pentru fluturi.
d) Înmuiați fiecare răsucire de covrig în CandiQuik colorat, asigurându-vă că este complet acoperit. Puteți folosi o lingură pentru a ajuta la acoperire.
e) Lăsați excesul de acoperire CandiQuik să se scurgă, apoi puneți răsucirile de covrigi acoperite pe tava de copt tapetată cu hârtie de copt.
f) Înainte de a se stabili acoperirea CandiQuik, adăugați stropi asortate sau decorațiuni comestibile pentru a crea aripile și corpul fluturelui. Puteți deveni creativ cu design-urile.
g) Lăsați acoperirea CandiQuik să se întărească complet.
h) Odată așezați, covrigii tăi fluturi sunt gata să fie savurati!

78.CandiQuik Shamrock

INGREDIENTE:

- Covrigei se răsucesc
- Acoperire CandiQuik Candy (culoare verde)
- Stropi verzi sau zahăr de șlefuit verde

INSTRUCȚIUNI:

a) Topiți stratul CandiQuik Candy conform instrucțiunilor de pe ambalaj.

b) Înmuiați fiecare răsucire de covrig în CandiQuik topit, asigurându-vă că este complet acoperit. Puteți folosi o furculiță sau un clește pentru asta.

c) Lăsați excesul de acoperire să se scurgă, apoi puneți covrigeul acoperit pe hârtie de pergament.

d) Înainte de a se întări acoperirea, presărați stropi verzi sau zahăr verde de șlefuit peste covrig pentru a crea o formă de trifoi. Puteți folosi un șablon sau pur și simplu designul cu mână liberă.

e) Repetați procesul pentru fiecare răsucire de covrig.

f) Lăsați stratul CandiQuik să se întărească complet. Puteți accelera procesul punând covrigii la frigider.

g) Odată ce stratul este complet fixat, covrigii tăi CandiQuik Shamrock sunt gata pentru a fi savurati!

79.CandiQuik Covrigei de Anul Nou

INGREDIENTE:

- Tijele de covrig
- 1 pachet (16 uncii) CandiQuik Candy Coating
- Presarate in diverse culori de Revelion

INSTRUCȚIUNI:

a) Topiți stratul CandiQuik Candy conform instrucțiunilor de pe ambalaj. Puteți folosi un vas pentru cuptorul cu microunde sau un boiler dublu pentru topire.

b) Înmuiați fiecare tijă de covrig în CandiQuik topit, acoperindu-l uniform. Folosiți o lingură sau o spatulă pentru a ajuta la răspândirea stratului, dacă este necesar.

c) Lăsați excesul de acoperire să picure, apoi puneți tijele de covrig acoperite pe o tavă tapetată cu pergament.

d) Înainte de a se întinde acoperirea, stropiți tijele de covrigei cu stropi cu tema de Revelion. Puteți folosi o varietate de culori și forme pentru a le face sărbători.

e) Lăsați acoperirea CandiQuik să fie complet fixată. Puteți accelera procesul punând tava la frigider.

f) Odată fixate, aranjați tijele de covrige de Anul Nou pe un platou de servire sau în recipiente decorative.

g) Servește și bucură-te de aceste delicii dulci și sărate la sărbătoarea ta de Revelion!

80. Covrigei iepurași CandiQuik

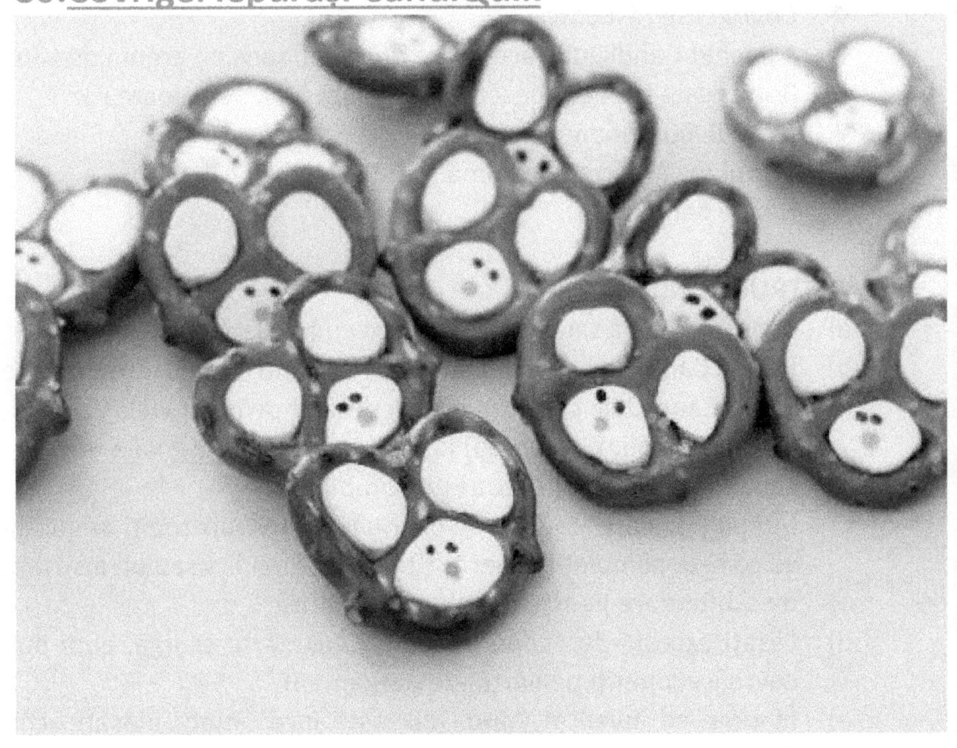

INGREDIENTE:

- Covrigei se răsucesc
- 1 pachet CandiQuik (acoperire de bomboane cu aroma de vanilie)
- Bomboane roz se topesc sau ciocolată albă de culoare roz
- Ochi de bomboane
- Stropi roz în formă de inimă (pentru nas)
- Hârtie pergament

INSTRUCȚIUNI:

a) Tapetați o tavă sau o foaie de copt cu hârtie de copt.
b) Rupeți CandiQuik-ul în bucăți și puneți-l într-un bol termorezistent. Topiți CandiQuik conform instrucțiunilor de pe ambalaj. De obicei, aceasta implică punerea la microunde la intervale de 30 de secunde până când se topește complet.
c) Înmuiați fiecare răsucire de covrig în CandiQuik topit, asigurându-vă că este complet acoperit. Utilizați o furculiță sau un instrument de scufundare pentru a ajuta la acoperire.
d) Lăsați excesul de acoperire CandiQuik să se scurgă, apoi puneți covrigii acoperiți pe hârtie de pergament.
e) În timp ce învelișul CandiQuik este încă umed, atașați ochi de bomboane în partea de sus a fiecărui covrig acoperit. Puteți folosi o cantitate mică de CandiQuik topit ca „clei" pentru ochi.
f) Pune o stropire roz în formă de inimă sub ochi pentru a crea nasul iepurașului.
g) Înmuiați o scobitoare sau o ustensilă mică în bomboane roz sau ciocolată albă de culoare roz și folosiți-o pentru a desena urechi de iepuraș pe partea de sus a fiecărui covrig acoperit.
h) Lăsați stratul de bomboane să se întărească complet.
i) Odată așezați, Bunny Pretzels sunt gata să fie savurați!

81.Mușcături de covrigi CandiQuik Caramel

INGREDIENTE:

- Patrate de covrigi sau mini covrigei
- 1 pachet de acoperire cu vanilie CandiQuik
- 1 cană bomboane caramel, desfăcute
- 2 linguri de lapte

INSTRUCȚIUNI:

a) Topiți stratul de vanilie CandiQuik conform instrucțiunilor de pe ambalaj.
b) Înmuiați fiecare pătrat de covrig sau mini covrig în stratul de vanilie topit, asigurându-vă că este bine acoperit.
c) Lăsați excesul de acoperire să se scurgă înainte de a pune covrigii acoperiți pe o tavă tapetată cu hârtie de pergament.
d) Într-un castron separat, topește bomboanele caramel cu lapte până se omogenizează.
e) Stropiți caramelul topit peste covrigii acoperiți cu vanilie.
f) Lăsați stratul și caramelul să se stabilească la temperatura camerei sau la frigider.
g) Odată așezat, serviți și bucurați-vă de aceste delicioase mușcături de covrige caramel CandiQuik.

COĂRȚI ȘI CURME

82.Scoarță de mentă CandiQuik

INGREDIENTE:

- 1 pachet (16 uncii) CandiQuik Candy Coating (ciocolata alba)
- ½ linguriță extract de mentă
- Bastoane de bomboane zdrobite sau bomboane de mentă

INSTRUCȚIUNI:

a) Tapetați o foaie de copt cu hârtie de copt.
b) Într-un vas sigur pentru cuptorul cu microunde sau folosind un boiler dublu, topiți învelișul CandiQuik Candy conform instrucțiunilor de pe ambalaj.
c) Odată topit, amestecați extractul de mentă, asigurându-vă că este bine combinat cu ciocolata albă.
d) Turnați CandiQuik topit pe foaia de copt pregătită, întindeți-l într-un strat uniform cu o spatulă.
e) Peste ciocolata albă topită presărați bastoanele de bomboane zdrobite sau bomboanele de mentă, apăsând-le ușor, astfel încât să adere.
f) Lăsați coaja de mentă să se răcească și să se stabilească complet. Puteți accelera procesul punându-l la frigider.
g) Odată întărită, spargeți coaja de mentă în bucăți mai mici.
h) Păstrați scoarța de mentă CandiQuik într-un recipient ermetic la temperatura camerei sau la frigider.
i) Serviți și bucurați-vă de acest tratament festiv și dulce!

83.CandiQuik Cowboy Bark

INGREDIENTE:

- 1 pachet CandiQuik (acoperire de bomboane cu aroma de vanilie)
- 1 cană mini covrigei
- 1 cană de biscuiți sărați, rupti în bucăți
- ½ cană de biți de caramel
- ½ cană alune prăjite și sărate
- ¼ cană mini chipsuri de ciocolată
- ¼ cană chipsuri de ciocolată cu lapte
- Sare de mare pentru stropire (optional)

INSTRUCȚIUNI:

a) Tapetați o foaie de copt cu hârtie de copt.
b) Rupeți CandiQuik-ul în bucăți și puneți-l într-un bol termorezistent. Topiți CandiQuik conform instrucțiunilor de pe ambalaj. De obicei, aceasta implică punerea la microunde la intervale de 30 de secunde până când se topește complet.
c) Într-un castron mare, combinați mini covrigei, biscuiți sărați, bucăți de caramel, arahide prăjite, mini fulgi de ciocolată și fulgi de ciocolată cu lapte.
d) Turnați CandiQuik topit peste ingredientele uscate și amestecați până când totul este bine acoperit.
e) Întindeți amestecul uniform pe foaia de copt pregătită.
f) Opțional: Presărați un pic de sare de mare deasupra pentru un contrast de aromă dulce și sărat.
g) Lăsați Cowboy Bark să se răcească și să se întărească complet. Puteți accelera acest proces punându-l la frigider.
h) Odată întărită complet, spargeți Cowboy Bark în bucăți mici.
i) Păstrați Cowboy Bark într-un recipient etanș la temperatura camerei.

84.Scoarță de biscuiți cu mentă

INGREDIENTE:

- 1 pachet (16 uncii) de acoperire cu vanilie CandiQuik
- ¾ cană biscuiți OREO cu mentă, mărunțiți în bucăți mari
- Stropi verzi

INSTRUCȚIUNI:

a) Topiți stratul de vanilie CandiQuik în Topiți și faceți o tavă pentru microunde conform instrucțiunilor de pe ambalaj.
b) Adăugați ½ cană de fursecuri OREO tocate în tavă și amestecați pentru a se combina. Se toarnă amestecul pe o foaie mare de hârtie ceară. Folosiți o spatulă pentru a netezi uniform până la aproximativ ¼ inch grosime.
c) Presărați ¼ de cană rămasă de fursecuri zdrobite și stropi verzi deasupra. Răciți aproximativ 10 minute sau până când se fixează complet.
d) Odată setat, tăiați sau rupeți în bucăți.
e) De asemenea, puteți întinde amestecul de scoarță pe o foaie mare de hârtie ceară pe o suprafață plană.

85.Ciocane de nuci de merisoare de scortisoara

INGREDIENTE:

- 1 pachet (16 oz) de acoperire CandiQuik Candy Vanilla
- 1 lingurita scortisoara
- 1 ¼ cană nuci amestecate
- ¼ cană de afine uscate

INSTRUCȚIUNI:

a) Topiți stratul CandiQuik de vanilie în tava pentru microunde Melt and Make™ conform instrucțiunilor de pe ambalaj.
b) Se amestecă scorțișoară în CandiQuik topit; adăugați mai mult sau mai puțin preferințelor dvs. de gust.
c) Se toarnă amestecul de nuci și merisoare uscate direct în tava de acoperire; se amestecă pentru a acoperi.
d) Se picura cu lingura pe hartie cerata pentru a forma ciorchini; lasa sa se aseze.

86.Scoarță de migdale de ciocolată

INGREDIENTE:

- 1 pachet de acoperire cu ciocolată CandiQuik
- 1 cana migdale, tocate
- ½ linguriță extract de migdale

INSTRUCȚIUNI:

a) Topiți stratul de ciocolată CandiQuik conform instrucțiunilor de pe ambalaj.
b) Se amestecă migdalele tocate și extractul de migdale până se combină bine.
c) Se toarnă amestecul pe o tavă tapetată cu hârtie de copt, răspândindu-l uniform.
d) Se lasa sa se raceasca si sa se intareasca la temperatura camerei sau la frigider.
e) Odată întărită, rupeți coaja în bucăți și bucurați-vă!

87.Scoarță de ciocolată cu fructe și nuci

INGREDIENTE:

- 1 pachet de acoperire cu ciocolată CandiQuik
- ½ cană de afine uscate
- ½ cană fistic tocat
- ½ cană nucă de cocos mărunțită

INSTRUCȚIUNI:

a) Topiți stratul de ciocolată CandiQuik conform instrucțiunilor de pe ambalaj.
b) Se amestecă merișoarele uscate, fisticul tocat și nuca de cocos mărunțită până se distribuie bine.
c) Se toarnă amestecul pe o tavă tapetată cu hârtie de copt, răspândindu-l uniform.
d) Se lasa sa se raceasca si sa se intareasca la temperatura camerei sau la frigider.
e) Odată așezat, spargeți scoarța în bucăți și savurați combinația încântătoare de arome.

88.Caramel sărat și țestoase pecan

INGREDIENTE:

- CandiQuik (aroma de caramel)
- Jumătăți de nuci pecan
- Sare de mare

INSTRUCȚIUNI:

a) Topiți CandiQuik cu aromă de caramel conform instrucțiunilor de pe ambalaj.
b) Puneți grupuri de jumătăți de nuci pecan pe o tavă tapetată cu hârtie de pergament.
c) Peste fiecare ciorchine puneți CandiQuik topit, asigurându-vă că nucile pecan sunt acoperite.
d) Presărați un praf de sare de mare peste fiecare broască țestoasă.
e) Lăsați CandiQuik să se întărească înainte de servire.

AMESTECURI pentru gustări

89. Churro Chow

INGREDIENTE:

- 8 căni pătrate de cereale crocante de orez (cum ar fi Rice Chex)
- 1 pachet CandiQuik (acoperire de bomboane cu aroma de vanilie)
- ½ cană de unt nesărat
- ¼ cană zahăr granulat
- 1 lingurita scortisoara macinata
- ½ linguriță extract de vanilie
- 1 ½ cană de zahăr pudră
- Scorțișoară măcinată suplimentară pentru praf

INSTRUCȚIUNI:

a) Puneți pătratele crocante de cereale de orez într-un bol mare de amestecare. Pus deoparte.
b) Într-o cratiță de mărime medie, topește CandiQuik și untul la foc mic. Amestecați des pentru a evita arderea.
c) Odată topit, adăugați zahărul granulat, scorțișoara măcinată și extractul de vanilie în cratiță. Se amestecă până când zahărul se dizolvă, iar amestecul este bine combinat.
d) Turnați amestecul de CandiQuik topit peste pătratele de cereale crocante de orez, asigurându-vă că le acoperiți uniform. Folosiți o spatulă pentru a amesteca ușor și a acoperi cerealele.
e) Într-o pungă mare cu fermoar, adăugați zahărul pudră. Transferați pătratele de cereale acoperite în pungă.
f) Sigilați punga și agitați-o energic pentru a acoperi pătratele de cereale cu zahăr pudră.
g) Întindeți Churro Chow pe o foaie de copt tapetată cu pergament pentru a se răci.
h) Odată răcit, pudrați Churro Chow cu scorțișoară măcinată suplimentară pentru un plus de aromă.
i) Depozitați într-un recipient etanș.

90.CandiQuik Bunny Bait Snack Mix

INGREDIENTE:

- 1 pachet CandiQuik (acoperire de bomboane cu aroma de vanilie)
- 4 căni de floricele de porumb
- 2 cesti de batoane de covrig
- 1 cană de mini marshmallows
- MandM de culoare pastel sau alte ciocolate acoperite cu bomboane
- Stropi cu tematică de Paște

INSTRUCȚIUNI:

a) Tapetați o tavă mare de copt cu hârtie de copt.
b) Într-un castron mare, combinați floricelele de porumb, bețișoarele de covrigi și mini-bezelele.
c) Rupeți CandiQuik-ul în bucăți și puneți-l într-un bol termorezistent. Topiți CandiQuik conform instrucțiunilor de pe ambalaj. De obicei, aceasta implică punerea la microunde la intervale de 30 de secunde până când se topește complet.
d) Turnați CandiQuik topit peste amestecul de floricele de porumb, folosind o spatulă pentru a amesteca ușor și a acoperi ingredientele uniform.
e) Întindeți amestecul acoperit pe foaia de copt pregătită într-un strat uniform.
f) În timp ce învelișul CandiQuik este încă umed, presărați deasupra ciocolată MandM sau ciocolată acoperită cu bomboane.
g) Adăugați stropi cu tema de Paște pentru o notă suplimentară de sărbătoare.
h) Lăsați Bunny Bait Snack Mix să se răcească și stratul CandiQuik să se întărească complet. Puteți accelera procesul punându-l la frigider.
i) Odată fixat, împărțiți amestecul de gustări în grupuri de dimensiuni mici.
j) Depozitați într-un recipient etanș.

91.CandiQuik Heart Munch Snack Mix

INGREDIENTE:

- 1 pachet CandiQuik (acoperire de bomboane cu aroma de vanilie)
- 4 căni de cereale crocante de orez (de exemplu, Rice Chex)
- 2 cesti de batoane de covrig
- 1 cană răsuciri mici de covrig
- 1 cană bomboane pe tema Ziua Îndrăgostiților (de exemplu, bomboane în formă de inimă, MandM)
- 1 cană de afine uscate sau alte fructe uscate
- Stropiri cu tematica de Valentine's Day

INSTRUCȚIUNI:

a) Tapetați o tavă mare de copt cu hârtie de copt.
b) Rupeți CandiQuik-ul în bucăți și puneți-l într-un bol termorezistent. Topiți CandiQuik conform instrucțiunilor de pe ambalaj. De obicei, aceasta implică punerea la microunde la intervale de 30 de secunde până când se topește complet.
c) Într-un castron mare, combinați cerealele crocante de orez, bețișoarele de covrig, răsucirile de covrigi, bomboanele cu tematică de Ziua Îndrăgostiților și merișoarele uscate.
d) Turnați CandiQuik topit peste amestecul de gustări, folosind o spatulă pentru a amesteca ușor și a acoperi ingredientele uniform.
e) Întindeți amestecul acoperit pe foaia de copt pregătită într-un strat uniform.
f) În timp ce învelișul CandiQuik este încă umed, presărați deasupra stropilor cu tema de Ziua Îndrăgostiților pentru o notă festivă.
g) Lăsați amestecul de gustări Heart Munch să se răcească și acoperirea CandiQuik să se întărească complet. Puteți accelera procesul punându-l la frigider.
h) Odată fixat, împărțiți amestecul de gustări în grupuri de dimensiuni mici.
i) Depozitați într-un recipient etanș.

92.CandiQuik Trail Mix Clusters

INGREDIENTE:

- 1 pachet CandiQuik (acoperire de bomboane cu aroma de vanilie)
- 2 căni de nuci amestecate (migdale, caju, alune etc.)
- 1 cană batoane de covrig, rupte în bucăți mici
- 1 cană de fructe uscate (stafide, merisoare, caise etc.)
- 1 cană bomboane de ciocolată (MandM, chipsuri de ciocolată etc.)

INSTRUCȚIUNI:

a) Într-un castron mare, combinați nucile amestecate, bețișoarele de covrig, fructele uscate și bomboanele de ciocolată. Amestecați-le pentru a crea o distribuție uniformă a ingredientelor.

b) Topiți CandiQuik conform instrucțiunilor de pe ambalaj. De obicei, aceasta implică punerea la microunde la intervale de 30 de secunde până când se topește complet.

c) Turnați CandiQuik topit peste ingredientele amestecului de traseu. Amestecați bine pentru a vă asigura că toate componentele sunt acoperite uniform în stratul de bomboane.

d) Tapetați o foaie de copt cu hârtie de copt sau un covor de copt din silicon.

e) Folosind o lingură sau o lingură pentru prăjituri, aruncați grămadanele de amestec acoperit pe tava de copt pregătită.

f) Lăsați ciorchinii să se răcească și să se întărească. Puteți accelera acest proces punând foaia de copt la frigider pentru aproximativ 15-20 de minute.

g) Odată ce ciorchinii sunt complet fixați, scoateți-le din tava de copt.

h) Păstrați CandiQuik Trail Mix Clusters într-un recipient etanș la temperatura camerei.

i) Bucurați-vă de acest tratament dulce și sărat ca o gustare sau ca un plus delicios la selecția dvs. de amestecuri de trasee!

93.CandiQuik Orange Creamsicle Puppy Chow

INGREDIENTE:

- 9 căni de orez sau porumb cereale Chex
- 1 cană fulgi de ciocolată albă sau bucăți
- ½ cană de unt nesărat
- ¼ cană pudră de gelatină cu aromă de portocale (cum ar fi Jello)
- 1 lingurita extract de vanilie
- Coaja unei portocale (opțional, pentru un plus de aromă)
- 2 căni de zahăr pudră
- Colorant alimentar portocaliu (opțional, pentru o culoare vibrantă)

INSTRUCȚIUNI:

a) Măsurați cerealele Chex într-un bol mare de amestecare.
b) Într-un castron potrivit pentru cuptorul cu microunde, combinați fulgii sau bucăți de ciocolată albă și untul. Puneți la microunde la intervale de 30 de secunde, amestecând după fiecare interval, până când amestecul este complet topit și omogen.
c) Se amestecă pudra de gelatină cu aromă de portocale și extractul de vanilie în amestecul de ciocolată albă topită. Dacă doriți, adăugați coaja de portocală pentru un plus de aromă de citrice.
d) Opțional, adăugați câteva picături de colorant alimentar portocaliu pentru a obține o culoare portocalie vibrantă. Se amestecă până se combină bine.
e) Turnați amestecul de smântână de portocale peste cerealele Chex, pliând ușor și amestecând până când toate cerealele sunt acoperite uniform.
f) Într-o pungă mare de plastic resigilabilă, adăugați zahărul pudră.
g) Transferați cerealele Chex acoperite în pungă cu zahăr pudră.
h) Sigilați punga și agitați-o energic până când cerealele sunt acoperite complet cu zahăr pudră.
i) Întindeți Orange Creamsicle Puppy Chow pe o foaie de copt tapetată cu pergament pentru a se răci și a se întări.
j) După ce s-a răcit, rupeți amestecul în bucăți mici.
k) Păstrați Orange Creamsicle Puppy Chow într-un recipient ermetic.
l) Servește și bucură-te de acest tratament dulce și citric!

94.CandiQuik S'mores

INGREDIENTE:

- 4 căni pătrate de cereale Graham
- 2 cani de mini marshmallows
- 2 căni de covrigei acoperiți cu ciocolată
- 1 cană alune prăjite
- 1 pachet de acoperire cu vanilie CandiQuik
- 1 cană chipsuri de ciocolată cu lapte

INSTRUCȚIUNI:

a) Într-un castron mare, combinați pătratele de cereale Graham, mini bezele, covrigei acoperiți cu ciocolată și alunele prăjite.
b) Topiți stratul de vanilie CandiQuik conform instrucțiunilor de pe ambalaj.
c) Se toarnă stratul de vanilie topit peste amestecul de gustări, amestecând ușor pentru a acoperi.
d) Adăugați fulgi de ciocolată cu lapte și amestecați bine.
e) Întindeți amestecul pe o tavă tapetată cu hârtie de copt pentru a se răci și a se întări.
f) Odată așezat, împărțiți-vă în grupuri și bucurați-vă de acest amestec de gustare delicios inspirat de s'mores.

95.CandiQuik amestec de ciocolata alba pentru petreceri

INGREDIENTE:

- 3 căni pătrate de cereale de orez
- 2 căni de răsuciri de covrig
- 1 cană de afine uscate
- 1 cană migdale, întregi sau feliate
- 1 pachet de acoperire cu ciocolată albă CandiQuik
- 1 lingurita extract de vanilie

INSTRUCȚIUNI:

a) Într-un castron mare, combinați pătratele de cereale de orez, covrigi, merișoare uscate și migdale.
b) Topiți stratul de ciocolată albă CandiQuik conform instrucțiunilor de pe ambalaj.
c) Se amestecă extractul de vanilie în ciocolata albă topită.
d) Turnați amestecul de ciocolată albă topită peste amestecul de gustări, amestecând ușor pentru a se acoperi.
e) Întindeți amestecul pe o tavă tapetată cu hârtie de copt pentru a se răci și a se întări.
f) Odată așezat, împărțiți-vă în grupuri și bucurați-vă de acest amestec dulce și crocant de ciocolată albă.

BACATE DE SĂRBĂTORI ŞI SĂRBĂTORI

96. Toppers pentru cupcake de Halloween CandiQuik

INGREDIENTE:

- Cupcakes
- 1 pachet (16 uncii) CandiQuik Candy Coating
- Stropi sau decorațiuni cu tematică de Halloween

INSTRUCȚIUNI:

a) Topiți stratul CandiQuik Candy conform instrucțiunilor de pe ambalaj.
b) Înmuiați vârfurile cupcakes-urilor în CandiQuik topit, creând o acoperire netedă.
c) Decorați cu stropi sau decorațiuni cu tematică Halloween.
d) Lăsați stratul să se întărească înainte de servire.

97.Capace de absolvire CandiQuik

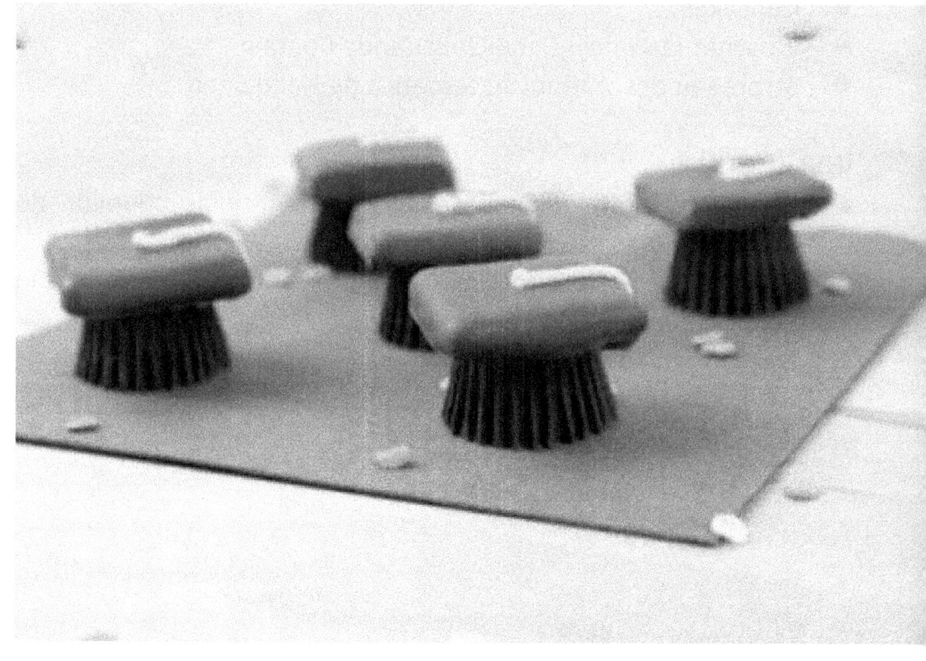

INGREDIENTE:

- Fursecuri de tip sandwich acoperite cu ciocolată (cum ar fi prăjiturile Oreo)
- 1 pachet CandiQuik (acoperire de bomboane cu aroma de vanilie)
- Bomboane de ciocolată pătrate (cum ar fi pătratele de caramel acoperite cu ciocolată sau mentele acoperite cu ciocolată)
- Patrate mici de bomboane (optional, pentru ciucuri)
- Bețișoare de acadele sau bețișoare de prăjitură

INSTRUCȚIUNI:

a) Tapetați o foaie de copt cu hârtie de copt.
b) Rupeți CandiQuik-ul în bucăți și puneți-l într-un bol termorezistent. Topiți CandiQuik conform instrucțiunilor de pe ambalaj. De obicei, aceasta implică punerea la microunde la intervale de 30 de secunde până când se topește complet.
c) Separați cu grijă prăjiturile de tip sandwich acoperite cu ciocolată, lăsând umplutura de cremă intactă.
d) Înmuiați bețișoarele de acadea în CandiQuik topit și introduceți-le în umplutura cremă a fiecărui prăjitură, creând o bază pentru capacul de absolvire.
e) Înmuiați întregul fursec în CandiQuik topit, asigurându-vă că este complet acoperit. Lăsați excesul de acoperire CandiQuik să se scurgă.
f) Pune fursecurile acoperite pe tava tapetata cu hartie de copt.
g) În timp ce învelișul CandiQuik este încă umed, apăsați ușor o bomboană pătrată de ciocolată pe centrul fiecărui prăjitură pentru a crea partea superioară a capacului de gradare.
h) Opțional: dacă aveți pătrate mici de bomboane, le puteți folosi pentru a crea ciucuri. Atașați un mic pătrat de bomboane pe partea laterală a bomboanei pătrate de ciocolată cu o mică bucată de CandiQuik topit.
i) Lăsați acoperirea CandiQuik să se întărească complet.
j) Odată setate, capacele de absolvire sunt gata pentru a fi savurate!

98.Cupe pentru stropire patriotice CandiQuik

INGREDIENTE:

- 1 pachet CandiQuik (acoperire de bomboane cu aroma de vanilie)
- Stropi roșu, alb și albastru
- Căptușeală pentru mini cupcake
- Mini tava pentru cupcake

INSTRUCȚIUNI:

a) Tapetați o mini tavă de cupcake cu mini căptușeli de cupcake.
b) Rupeți CandiQuik-ul în bucăți și puneți-l într-un bol termorezistent. Topiți CandiQuik conform instrucțiunilor de pe ambalaj. De obicei, aceasta implică punerea la microunde la intervale de 30 de secunde până când se topește complet.
c) Odată ce CandiQuik s-a topit, puneți o lingură mică în fiecare căptușeală de mini cupcake, umplându-l aproximativ o treime din timp.
d) Presărați stropi roșu, alb și albastru peste CandiQuik topit în fiecare ceașcă. Puteți amesteca culorile sau puteți crea un efect stratificat cu diferite culori.
e) Adăugați un alt strat de CandiQuik topit peste stropi, umplând căptușeala de cupcake la aproximativ două treimi din drum.
f) Presărați mai multe stropi roșu, alb și albastru deasupra celui de-al doilea strat de CandiQuik topit.
g) Adăugați un ultim strat de CandiQuik topit pentru a umple căptușeala de cupcake aproape până la vârf.
h) Folosiți o scobitoare sau o frigărui pentru a învârti ușor straturile împreună, creând un efect marmorat sau învolburat.
i) Adăugați stropi suplimentare deasupra pentru decor.
j) Lăsați CandiQuik să se răcească și să se întărească complet.
k) Odată setate, paharele Patriotic Sprinkle sunt gata pentru a fi savurate!

99.Cuiburi de macaroane cu nucă de cocos de Paște

INGREDIENTE:

- 3 căni de nucă de cocos mărunțită îndulcită
- ¾ cană lapte condensat îndulcit
- 1 lingurita extract de vanilie
- ¼ lingurita sare
- 1 pachet CandiQuik (acoperire de bomboane cu aroma de vanilie)
- Mini ouă de ciocolată sau jeleu (pentru umplerea cuibului)
- Colorant alimentar verde (opțional, pentru nuanța de cocos)

INSTRUCȚIUNI:

a) Preîncălziți cuptorul la 325°F (163°C). Tapetați o foaie de copt cu hârtie de copt.
b) Într-un castron mare, combinați nuca de cocos mărunțită, laptele condensat îndulcit, extractul de vanilie și sarea. Se amestecă până se combină bine.
c) Dacă doriți, adăugați câteva picături de colorant alimentar verde pentru a nuanța amestecul de nucă de cocos pentru un aspect asemănător cu iarba. Se amestecă până când culoarea este distribuită uniform.
d) Folosind o linguriță de prăjituri sau mâinile, formați mici movile din amestecul de nucă de cocos și așezați-le pe foaia de copt pregătită, creând forme de cuib cu o adâncitură în centru.
e) Coaceți în cuptorul preîncălzit timp de 12-15 minute sau până când marginile devin maro auriu.
f) Lăsați cuiburile de nucă de cocos să se răcească pe tava de copt.
g) Rupeți CandiQuik-ul în bucăți și puneți-l într-un bol termorezistent. Topiți CandiQuik conform instrucțiunilor de pe ambalaj. De obicei, aceasta implică punerea la microunde la intervale de 30 de secunde până când se topește complet.
h) Pune o cantitate mică de CandiQuik topit în centrul fiecărui cuib de nucă de cocos pentru a crea o bază.
i) Puneți mini ouă de ciocolată sau boabe de jeleu în centrul fiecărui cuib, apăsând-le ușor în CandiQuik topit.
j) Lăsați acoperirea CandiQuik să se întărească complet.
k) Odată setate, cuiburile tale de macaroane cu nucă de cocos de Paște sunt gata pentru a fi savurate!

100.CandiQuik Brad de Crăciun Orez Krispie

INGREDIENTE:

- 3 linguri de unt nesarat
- 10 uncii Marshmallows
- Colorant alimentar verde
- 6 căni Rice Krispies
- Stropi
- 20 batoane mici de covrig
- 1 pachet de acoperire cu ciocolată CandiQuik

INSTRUCȚIUNI:

a) Ungeți sau pulverizați o tavă de 9 x 13 inci și lăsați deoparte.
b) Într-o tigaie mare, topește untul și bezele la foc mediu-mic, amestecând constant. Odată ce este aproape netedă și topit, adăugați colorant alimentar verde puțin câte puțin până obțineți culoarea dorită a copacului.
c) Odată ce este complet netedă și perfect verde, se ia de pe foc și se amestecă cu Rice Krispies. Continuați să amestecați până când toate cerealele sunt acoperite.
d) Apăsați uniform amestecul în tava pregătită (puteți folosi o mână unsă sau o bucată de hârtie ceară pentru a face acest lucru).
e) Topiți stratul de ciocolată CandiQuik conform instrucțiunilor de pe ambalaj.
f) Tăiați o tăietură în mijlocul tigaii (pe drumul lung). Apoi, tăiați fiecare dintre acele rânduri în triunghiuri (ar trebui să vă rămână 4 resturi, câte una pe fiecare parte a fiecărui rând).
g) În timp ce amestecul Rice Krispie este încă cald, utilizați CandiQuik topit pentru a stropi deasupra fiecărui tratament în formă de copac pentru a crea un contur de ciocolată.
h) Stropiți imediat cu stropi de sărbători pentru a adăuga o notă festivă.
i) Puneți un băț mic de covrig în partea de jos a fiecărui copac pentru a semăna cu trunchiul.
j) Lăsați dulceața să se răcească timp de cel puțin 30 de minute pentru a permite stratului CandiQuik să se întărească.

CONCLUZIE

Pe măsură ce ajungem la sfârșitul călătoriei noastre dulce prin lumea dulciurilor CandiQuik, sper că ți-a plăcut să explorezi posibilitățile nesfârșite ale acoperirii cu bomboane. De la delicii clasice la capodopere moderne, „Cartea de bucate esențială CandiQuik" a oferit o mulțime de inspirație pentru a vă îmbunătăți jocul de desert.

Pe măsură ce vă continuați aventurile culinare, amintiți-vă că magia CandiQuik nu are limite. Indiferent dacă creați cadouri de casă, găzduiți o petrecere cu desert sau pur și simplu vă răsfățați cu o răsfăț dulce, CandiQuik este arma dumneavoastră secretă pentru a crea confecții memorabile și delicioase.

Vă mulțumesc că mi-ați fost alături în această călătorie delicioasă. Fie ca deliciile tale să fie mereu dulci, creațiile tale să fie mereu inspirate și bucătăria să fie mereu plină de bucurie. Până ne revedem, coacere fericită!